상위권으로 가는 문제 해결 연산 학습지

응용 연산

분수

Creative to Math

응용연산 : 상위권으로 가는 문제해결 연산 학습지

요즘 아이들은 초등학교 입학 전에 연산 문제집 한 권 정도는 풀어본 경험이 있습니다. 어릴 때부터 연산 문제를 많이 풀었기 때문에 아이들은 아직 학교에서 배우지 않은 계산 문제를 슥슥 풀어서 부모님들을 흐뭇하게 만들기도 합니다. 그런데 아이들의 연산 능력은 날로 높아지지만 수학 실력은 과거에 비해 그다지 늘지 않은 것 같습니다. 사실 진짜 수학 실력은 연산 문제나 사고력 수학 문제를 주로 푸는 초등 저학년 때는 잘 드러나지 않습니다. 응용 문제를 본격적으로 풀기 시작하는 초등 3, 4학년이 되어서야 아이의 수학 실력을 판별할 수 있습니다.

초등 수학에서 연산이 가장 중요한 것은 부정할 수 없는 사실입니다. 중학생, 고등학생이 되어서 부족한 연산 능력을 키우는 것은 거의 불가능합니다. 이러한 연산의 특수성 때문에 아이들은 어린 나이부터 연산을 반복적으로 연습하여 실력을 키우려고 합니다. 이렇게 열심히 연산을 공부하는데도 왜 어떤 아이들은 수학 문제를 잘 풀지 못하는 것일까요? 그 이유는 현재 연산 학습의 목적이 단지 '계산을 잘 하는 것'이 되어버렸기 때문입니다. 연산은 연산 자체가 목적이 될 수 없으며 수학의 진짜 목표인 문제를 잘 풀기 위한 수단으로 연산을 학습해야 합니다.

과거 초등 수학 교과서의 연산 단원은 ① 원리와 연습 ② 문장제 활용의 단순한 구성이었습니다만 요즘의 교과서는 많이 달라졌습니다. 원리와 연습은 그대로이거나 조금 줄었지만 연산을 응용하는 방식은 좀 더 다양해졌습니다. 계산 능력의 향상만을 꾀하는 것이 아니라 여러 가지 퍼즐이나 수학적 상황 등을 해결할 수 있는 '응용력'에 초점을 맞추고 있다는 것을 보여주는 변화입니다. 따라서 저희는 연산 학습지도 원리나 연습 위주에서 벗어나 실제 문제를 해결할 수 있는 능력에 포인트를 맞추어야 한다고 생각합니다.

'연산은 잘 하는데 수학 문제는 왜 못 풀까요?'에 대한 대답이자 대안으로 저희는 「응용연산」이라는 새로운 컨셉의 연산 학습지를 만들었습니다. 연산 원리를 이해하고 연습하는 것에 그치지 않고, 익힌 것을 활용하는 방법을 바로 보여줄 수 있어야 아이들이 수학 문제에 연산을 효과적으로 적용할 수 있습니다. 연습은 꼭 필요한 만큼만 하고, 더 중요한 응용 문제에 바로 도전함으로써 연산과 문제 해결이 단절되지 않게 하는 것이 「응용연산」에서 기대하는 가장 큰 목표입니다.

「응용연산」을 통해 아이들이 왜 연산을 해야 하는지 스스로 느낄 수 있을 것이라 자신합니다. 이제 연산은 '원리'나 '연습'이 아닌 스스로 문제를 해결할 수 있는 '응용력'입니다.

응용연산의 구성과 특징

- 매일 부담없이 4쪽씩 연산 학습
- 매주 4일간 단계별 연산 학습과 응용 문제를 통한 연산 실력 확인
- 매주 1일 형성평가로 테스트 및 복습

주차별 구성

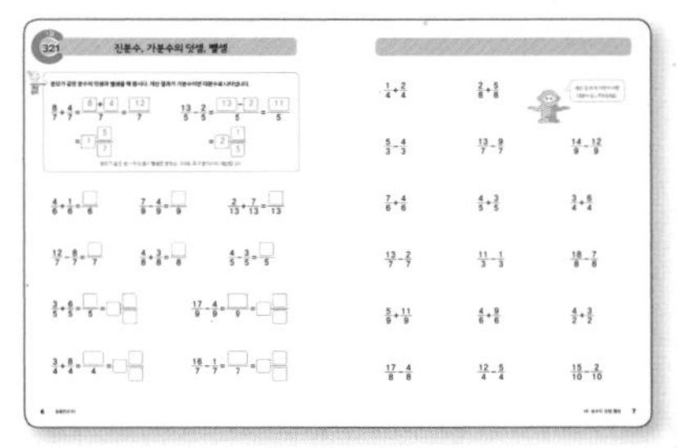

원리연산
대표 문제를 통해 학습하는 매일 새로운 단계별 연산 학습

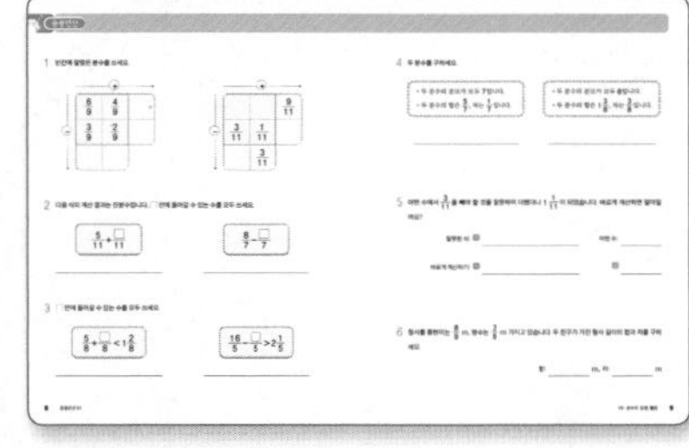

응용연산
기본 문제와 응용 문제를 통한 응용력과 문제해결력 증진

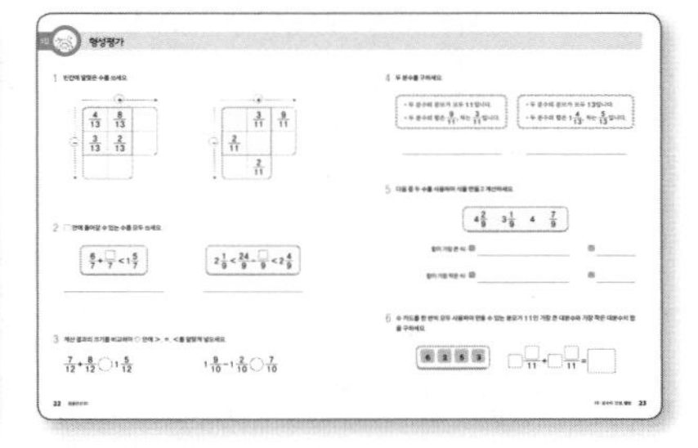

형성평가
가장 중요한 유형을 다시 한번 복습하며 주차 학습 마무리

	1일	2일	3일	4일	5일
1주차	6쪽 ~ 9쪽	10쪽 ~ 13쪽	14쪽 ~ 17쪽	18쪽 ~21쪽	22쪽 ~ 24쪽
2주차	26쪽 ~ 29쪽	30쪽 ~ 33쪽	34쪽 ~ 37쪽	38쪽 ~41쪽	42쪽 ~ 44쪽
3주차	46쪽 ~ 49쪽	50쪽 ~ 53쪽	54쪽 ~ 57쪽	58쪽 ~61쪽	62쪽 ~ 64쪽
4주차	66쪽 ~ 69쪽	70쪽 ~ 73쪽	74쪽 ~ 77쪽	78쪽 ~81쪽	82쪽 ~ 84쪽

정답 및 해설

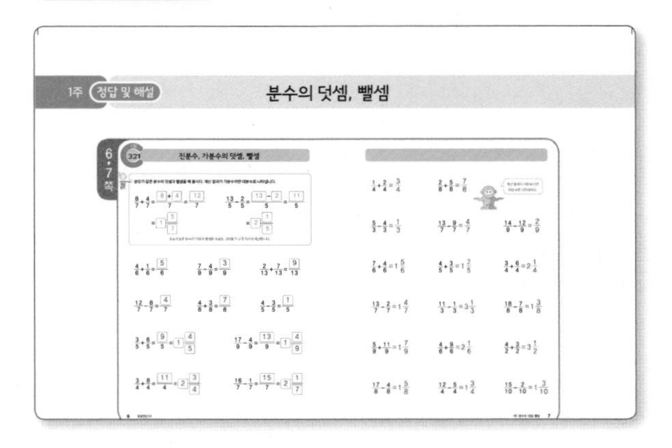

문제와 답을 한눈에 볼 수 있습니다.

이 책의 차례

1 주차	분수의 덧셈, 뺄셈	5
2 주차	대분수의 덧셈, 뺄셈	25
3 주차	분수의 크기 비교	45
4 주차	시간과 분수, 분모가 다른 분수	65

1주차

분수의 덧셈, 뺄셈

진분수, 가분수, 대분수의 덧셈, 뺄셈

1일 321 • 진분수, 가분수의 덧셈, 뺄셈 ·· 06
2일 322 • 대분수의 덧셈 (1) ·········· 10
3일 323 • 대분수의 뺄셈 (1) ·········· 14
4일 324 • 대분수의 덧셈, 뺄셈 (1) ········ 18
5일 형성평가 ·········· 22

진분수, 가분수의 덧셈, 뺄셈

분모가 같은 분수의 덧셈과 뺄셈을 해 봅시다. 계산 결과가 가분수이면 대분수로 나타냅니다.

$\frac{8}{7}+\frac{4}{7}=\frac{8+4}{7}=\frac{12}{7}=1\frac{5}{7}$

$\frac{13}{5}-\frac{2}{5}=\frac{13-2}{5}=\frac{11}{5}=2\frac{1}{5}$

분모가 같은 분수의 덧셈과 뺄셈은 분모는 그대로 두고 분자끼리 계산합니다.

$\frac{4}{6}+\frac{1}{6}=\frac{\square}{6}$

$\frac{7}{9}-\frac{4}{9}=\frac{\square}{9}$

$\frac{2}{13}+\frac{7}{13}=\frac{\square}{13}$

$\frac{12}{7}-\frac{8}{7}=\frac{\square}{7}$

$\frac{4}{8}+\frac{3}{8}=\frac{\square}{8}$

$\frac{4}{5}-\frac{3}{5}=\frac{\square}{5}$

$\frac{3}{5}+\frac{6}{5}=\frac{\square}{5}=\square\frac{\square}{\square}$

$\frac{17}{9}-\frac{4}{9}=\frac{\square}{9}=\square\frac{\square}{\square}$

$\frac{3}{4}+\frac{8}{4}=\frac{\square}{4}=\square\frac{\square}{\square}$

$\frac{16}{7}-\frac{1}{7}=\frac{\square}{7}=\square\frac{\square}{\square}$

$\frac{1}{4}+\frac{2}{4}$

$\frac{2}{8}+\frac{5}{8}$

$\frac{5}{3}-\frac{4}{3}$

$\frac{13}{7}-\frac{9}{7}$

$\frac{14}{9}-\frac{12}{9}$

$\frac{7}{6}+\frac{4}{6}$

$\frac{4}{5}+\frac{3}{5}$

$\frac{3}{4}+\frac{6}{4}$

$\frac{13}{7}-\frac{2}{7}$

$\frac{11}{3}-\frac{1}{3}$

$\frac{18}{8}-\frac{7}{8}$

$\frac{5}{9}+\frac{11}{9}$

$\frac{4}{6}+\frac{9}{6}$

$\frac{4}{2}+\frac{3}{2}$

$\frac{17}{8}-\frac{4}{8}$

$\frac{12}{4}-\frac{5}{4}$

$\frac{15}{10}-\frac{2}{10}$

1 빈칸에 알맞은 분수를 쓰세요.

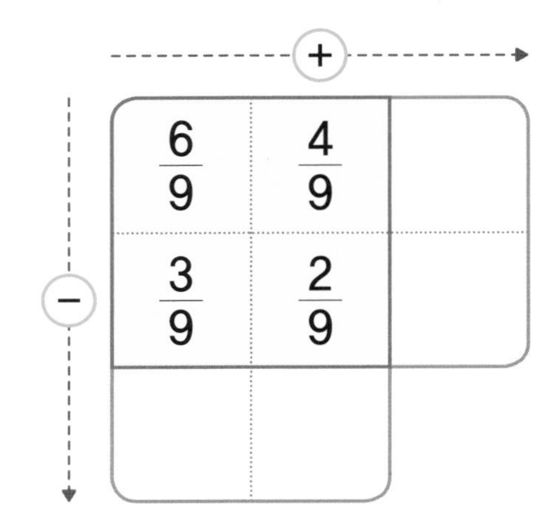

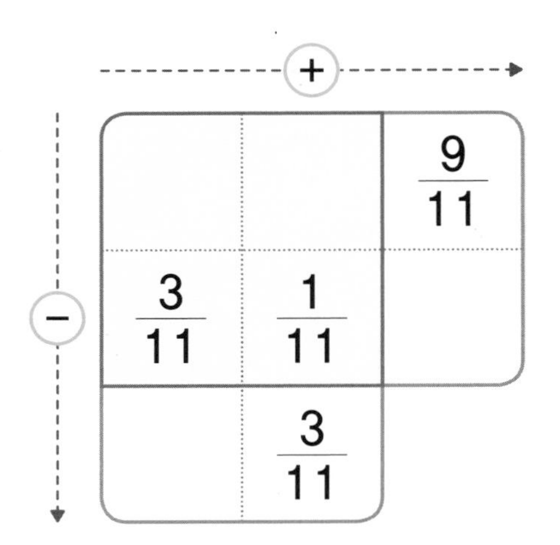

2 다음 식의 계산 결과는 진분수입니다. □ 안에 들어갈 수 있는 수를 모두 쓰세요.

$$\frac{5}{11}+\frac{\square}{11}$$

$$\frac{8}{7}-\frac{\square}{7}$$

3 □ 안에 들어갈 수 있는 수를 모두 쓰세요.

$$\frac{5}{8}+\frac{\square}{8}<1\frac{2}{8}$$

$$\frac{16}{5}-\frac{\square}{5}>2\frac{1}{5}$$

4 두 분수를 구하세요.

- 두 분수의 분모가 모두 7입니다.
- 두 분수의 합은 $\frac{5}{7}$, 차는 $\frac{1}{7}$입니다.

- 두 분수의 분모가 모두 8입니다.
- 두 분수의 합은 $1\frac{3}{8}$, 차는 $\frac{3}{8}$입니다.

______________________ ______________________

5 어떤 수에서 $\frac{3}{11}$을 빼야 할 것을 잘못하여 더했더니 $1\frac{1}{11}$이 되었습니다. 바르게 계산하면 얼마일까요?

잘못된 식: 식 ______________________ 어떤 수: ____________

바르게 계산하기: 식 ______________________ 답 ____________

6 철사를 종현이는 $\frac{8}{9}$ m, 명수는 $\frac{3}{9}$ m 가지고 있습니다. 두 친구가 가진 철사 길이의 합과 차를 구하세요.

합: ____________ m, 차: ____________ m

대분수의 덧셈 (1)

분모가 같은 대분수의 덧셈을 알아봅시다.

$1\frac{2}{7}+\frac{3}{7}=\boxed{1}+(\frac{\boxed{2}}{7}+\frac{\boxed{3}}{7})=\boxed{1}+\frac{\boxed{5}}{7}=\boxed{1}\frac{\boxed{5}}{\boxed{7}}$

$3+1\frac{2}{6}=(\boxed{3}+\boxed{1})+\frac{2}{6}=\boxed{4}+\frac{2}{6}=\boxed{4}\frac{\boxed{2}}{\boxed{6}}$

$2\frac{1}{10}+3\frac{4}{10}=(\boxed{2}+\boxed{3})+(\frac{\boxed{1}}{10}+\frac{\boxed{4}}{10})=\boxed{5}+\frac{\boxed{5}}{10}=\boxed{5}\frac{\boxed{5}}{\boxed{10}}$

분모가 같은 대분수끼리의 덧셈은 자연수는 자연수끼리, 분수는 분수끼리 더합니다.

$1\frac{2}{4}+\frac{1}{4}=\square+(\frac{\square}{4}+\frac{\square}{4})=\square\frac{\square}{\square}$

$3\frac{4}{8}+4\frac{2}{8}=(\square+\square)+(\frac{\square}{8}+\frac{\square}{8})=\square\frac{\square}{\square}$

$3\frac{2}{9}+1\frac{3}{9}=(\square+\square)+(\frac{\square}{9}+\frac{\square}{9})=\square\frac{\square}{\square}$

$2\frac{3}{8}+\frac{4}{8}$

$\frac{2}{4}+3\frac{1}{4}$

$1\frac{3}{10}+\frac{2}{10}$

$\frac{3}{5}+1\frac{1}{5}$

$2\frac{2}{6}+\frac{3}{6}$

$\frac{3}{7}+4\frac{3}{7}$

$3\frac{1}{2}+2$

$3+4\frac{2}{3}$

$1\frac{3}{8}+2$

$4+2\frac{3}{7}$

$5\frac{1}{4}+2$

$1+3\frac{4}{9}$

$2\frac{3}{8}+1\frac{2}{8}$

$1\frac{2}{5}+3\frac{2}{5}$

$1\frac{4}{6}+1\frac{1}{6}$

$4\frac{3}{9}+3\frac{4}{9}$

$6\frac{2}{11}+2\frac{2}{11}$

$3\frac{1}{4}+3\frac{2}{4}$

1 분수의 덧셈에 맞게 빈칸에 알맞은 분수를 쓰세요.

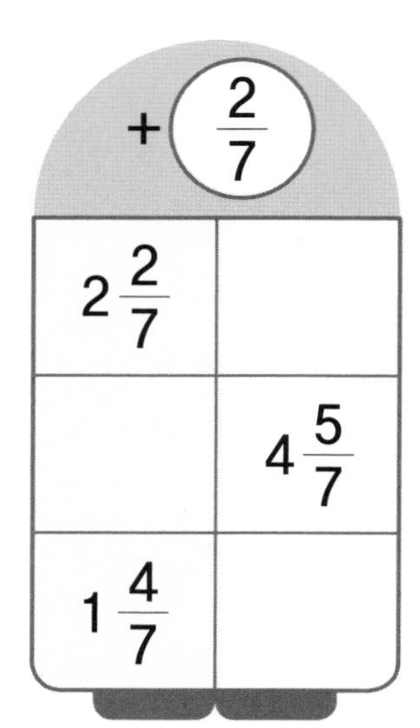

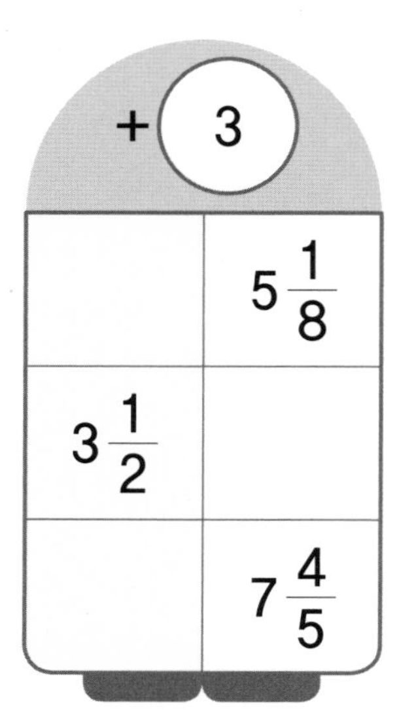

$+2\frac{2}{9}$

$1\frac{2}{9}$	
	$4\frac{7}{9}$
$3\frac{6}{9}$	

2 다음 중 두 수를 사용하여 식을 만들고 계산하세요.

$\frac{7}{10}$ $3\frac{1}{10}$ 3 $2\frac{2}{10}$

합이 가장 큰 식: 식 ______________________ 답 ____________

합이 가장 작은 식: 식 ______________________ 답 ____________

3 계산 결과의 크기를 비교하여 ○ 안에 >, =, <를 알맞게 넣으세요.

$2\frac{1}{5}+\frac{2}{5}$ ○ $2\frac{4}{5}$

$2\frac{7}{9}+4$ ○ $5\frac{8}{9}$

$4\frac{2}{6}+\frac{2}{6}$ ○ $\frac{1}{6}+4\frac{4}{6}$

$3\frac{2}{8}+4\frac{5}{8}$ ○ $6\frac{6}{8}+1\frac{1}{8}$

4 수 카드를 한 번씩 모두 사용하여 분모가 11인 가장 큰 대분수와 가장 작은 대분수를 만들고, 두 대분수의 합을 구하세요.

1 3 5 7

$\square\frac{\square}{11}+\square\frac{\square}{11}=\square$

5 미술 시간에 지혜는 찰흙 $2\frac{2}{7}$ kg을 만들기에 사용하였고, 민아는 $1\frac{3}{7}$ kg을 사용하였습니다. 지혜와 민아가 사용한 찰흙은 모두 몇 kg일까요?

식 ______________________ 답 __________ kg

대분수의 뺄셈 (1)

분모가 같은 대분수의 뺄셈을 알아봅시다.

$$1\frac{7}{8}-\frac{2}{8}=\boxed{1}+\left(\frac{\boxed{7}}{8}-\frac{\boxed{2}}{8}\right)=\boxed{1}+\frac{\boxed{5}}{8}=\boxed{1}\frac{\boxed{5}}{\boxed{8}}$$

$$5\frac{3}{4}-2=(\boxed{5}-\boxed{2})+\frac{3}{4}=\boxed{3}+\frac{3}{4}=\boxed{3}\frac{\boxed{3}}{\boxed{4}}$$

$$7\frac{6}{7}-2\frac{2}{7}=(\boxed{7}-\boxed{2})+\left(\frac{\boxed{6}}{7}-\frac{\boxed{2}}{7}\right)=\boxed{5}+\frac{\boxed{4}}{7}=\boxed{5}\frac{\boxed{4}}{\boxed{7}}$$

분모가 같은 대분수끼리의 뺄셈은 자연수는 자연수끼리, 분수는 분수끼리 뺍니다.

$$6\frac{1}{2}-3=(\square-\square)+\frac{1}{2}=\square\frac{\square}{\square}$$

$$8\frac{5}{6}-3\frac{2}{6}=(\square-\square)+\left(\frac{\square}{6}-\frac{\square}{6}\right)=\square\frac{\square}{\square}$$

$$5\frac{7}{11}-4\frac{1}{11}=(\square-\square)+\left(\frac{\square}{11}-\frac{\square}{11}\right)=\square\frac{\square}{\square}$$

$5\frac{4}{5}-\frac{2}{5}$

$4\frac{5}{7}-\frac{2}{7}$

$2\frac{3}{9}-\frac{1}{9}$

$9\frac{5}{6}-3$

$11\frac{1}{4}-8$

$8\frac{2}{3}-1$

$7\frac{4}{7}-3\frac{2}{7}$

$8\frac{4}{9}-3\frac{1}{9}$

$4\frac{5}{8}-2\frac{3}{8}$

$10\frac{5}{6}-2\frac{4}{6}$

$7\frac{4}{5}-6\frac{1}{5}$

$11\frac{3}{4}-2\frac{2}{4}$

$7\frac{4}{5}-\frac{2}{5}$

$10\frac{5}{6}-4$

$8\frac{7}{9}-3\frac{2}{9}$

$2\frac{7}{8}-\frac{2}{8}$

$8\frac{1}{2}-4$

$12\frac{10}{11}-9\frac{2}{11}$

1 분수의 뺄셈에 맞게 빈칸에 알맞은 분수를 쓰세요.

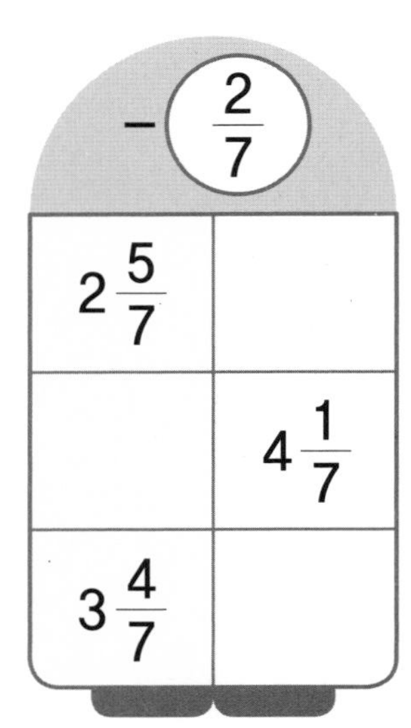

-4

	$1\frac{2}{9}$
$9\frac{6}{7}$	
	$3\frac{3}{8}$

$-2\frac{3}{11}$

$6\frac{10}{11}$	
	$7\frac{3}{11}$
$4\frac{8}{11}$	

2 다음 중 두 수를 사용하여 식을 만들고 계산하세요.

3　　$3\frac{4}{13}$　　$\frac{5}{13}$　　$7\frac{11}{13}$

차가 가장 큰 식: 식 ____________________　　답 ____________

차가 가장 작은 식: 식 ____________________　　답 ____________

3 다음 식에서 ㉮+㉯가 가장 클 때의 값을 구하세요.

$6\frac{㉮}{6}-5\frac{㉯}{6}=1\frac{1}{6}$

㉮+㉯= ______

4 다음과 같이 상자 안의 수를 한 번씩 모두 사용하여 계산 결과가 가장 큰 뺄셈식을 만들고 계산하세요.

1 7 5 2 → $7\frac{5}{7}-1\frac{2}{7}=6\frac{3}{7}$

1 9 4 2 → $\square\frac{\square}{8}-\square\frac{\square}{8}=\square$

4 8 3 5 → $\square\frac{\square}{12}-\square\frac{\square}{12}=\square$

5 수환이의 몸무게는 $45\frac{9}{10}$ kg이고 동생의 몸무게는 $31\frac{6}{10}$ kg입니다. 수환이는 동생보다 몇 kg 더 무거울까요?

식 ______ 답 ______ kg

대분수의 덧셈, 뺄셈 (1)

덧셈과 뺄셈이 있는 대분수의 계산을 알아봅시다.

$$6\frac{7}{11}-2\frac{3}{11}+5\frac{4}{11}=(6-2+5)+(\frac{7}{11}-\frac{3}{11}+\frac{4}{11})$$

$$=9+\frac{8}{11}=9\frac{8}{11}$$

분모가 같은 대분수끼리의 덧셈과 뺄셈은 자연수는 자연수끼리, 분수는 분수끼리 계산합니다.

$$3\frac{2}{6}+\frac{3}{6}+4=(\square+\square)+(\frac{\square}{6}+\frac{\square}{6})=\square\frac{\square}{\square}$$

$$8\frac{2}{7}+\frac{4}{7}-3\frac{3}{7}=(\square-\square)+(\frac{\square}{7}+\frac{\square}{7}-\frac{\square}{7})=\square\frac{\square}{\square}$$

$$9\frac{4}{9}-4+2\frac{4}{9}=(\square-\square+\square)+(\frac{\square}{9}+\frac{\square}{9})=\square\frac{\square}{\square}$$

$$11\frac{4}{5}-2\frac{1}{5}-6\frac{1}{5}=(\square-\square-\square)+(\frac{\square}{5}-\frac{\square}{5}-\frac{\square}{5})=\square\frac{\square}{\square}$$

$4\frac{2}{7}+\frac{4}{7}-2$

$2-1\frac{2}{6}+5\frac{3}{6}$

$8\frac{8}{9}+1-\frac{4}{9}$

$8\frac{4}{5}-4\frac{1}{5}+3$

$6\frac{2}{8}+\frac{1}{8}+5\frac{3}{8}$

$4\frac{2}{7}+3\frac{1}{7}+2\frac{2}{7}$

$4\frac{7}{9}+6\frac{1}{9}-\frac{5}{9}$

$5\frac{5}{8}+6\frac{2}{8}-4\frac{4}{8}$

$3\frac{5}{6}-\frac{4}{6}+3\frac{2}{6}$

$4\frac{4}{7}-2\frac{3}{7}+5\frac{2}{7}$

$9\frac{9}{11}-4\frac{2}{11}-\frac{5}{11}$

$8\frac{7}{9}-2\frac{2}{9}-3\frac{4}{9}$

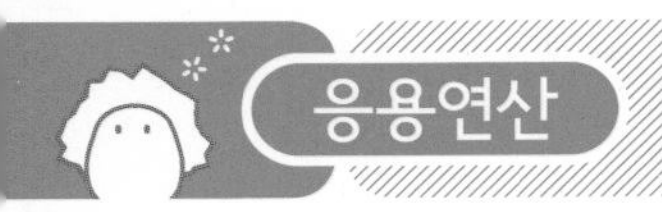

1 가로, 세로로 두 수의 합과 차에 맞게 상자 안의 수를 빈칸에 쓰세요.

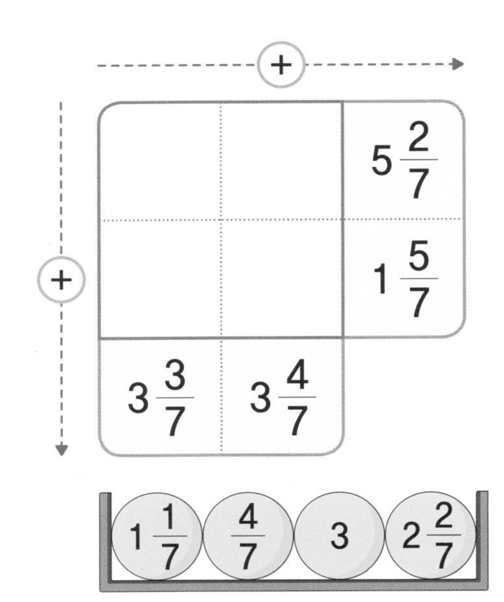

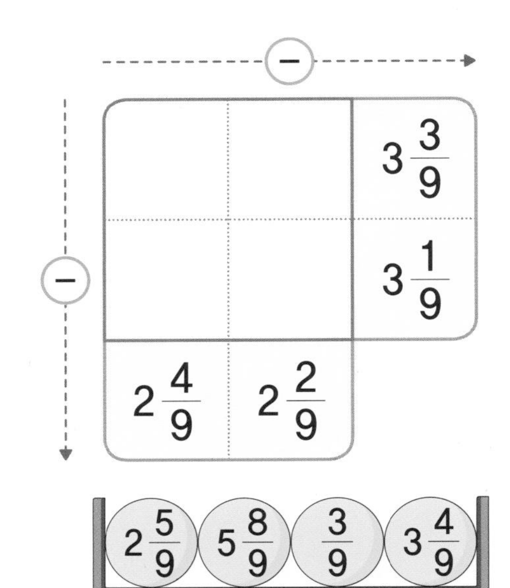

2 빈칸에 알맞은 수를 쓰세요.

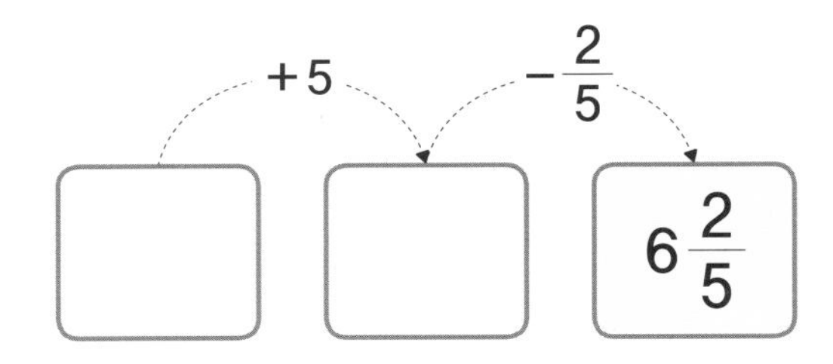

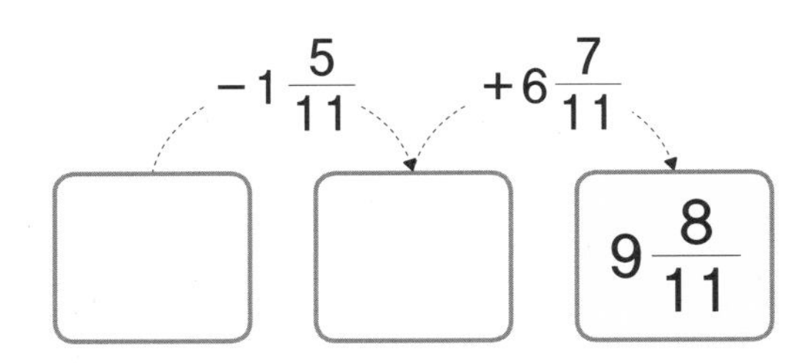

3 $5\frac{9}{14}$에 어떤 수를 더해야 할 것을 잘못하여 뺐더니 $4\frac{5}{14}$가 되었습니다. 바르게 계산하면 얼마일까요?

잘못된 식: 식 ______________ 어떤 수: ______________

바르게 계산하기: 식 ______________ 답 ______________

4 수 카드를 한 번씩 모두 사용하여 만들 수 있는 분모가 13인 가장 큰 대분수와 가장 작은 대분수의 합과 차를 구하세요.

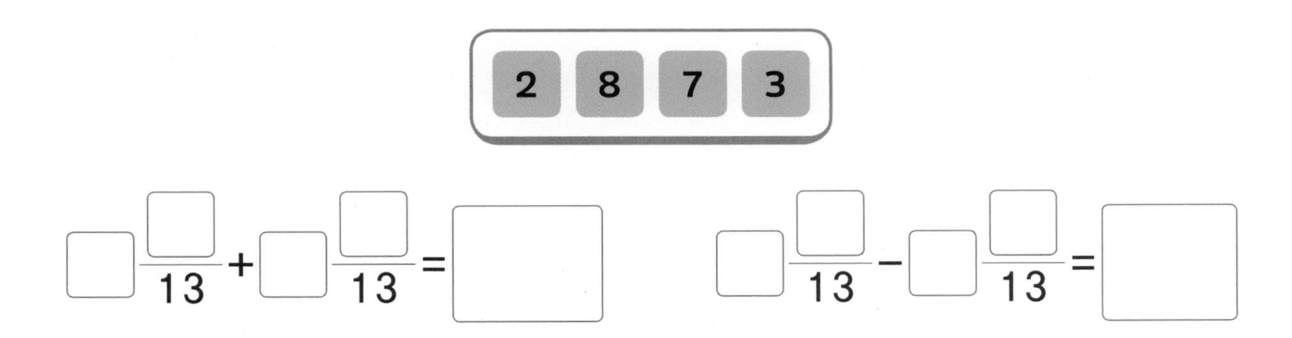

$\square\frac{\square}{13}+\square\frac{\square}{13}=\square$ $\square\frac{\square}{13}-\square\frac{\square}{13}=\square$

5 길이가 각각 $9\frac{8}{11}$ cm, $6\frac{2}{11}$ cm인 두 리본을 겹쳐서 이어 붙였습니다. 이어 붙인 길이가 $11\frac{4}{11}$ cm일 때, 겹쳐진 부분의 길이는 몇 cm일까요?

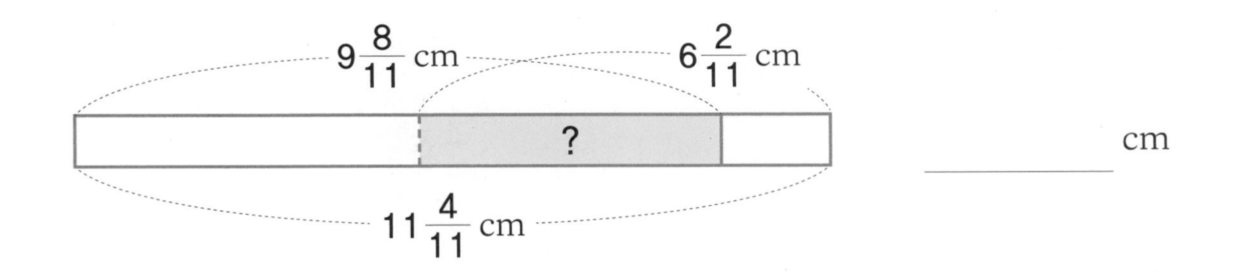

______ cm

6 설탕 $3\frac{7}{9}$ g이 있습니다. 사탕 한 개를 만드는 데 설탕 $1\frac{2}{9}$ g이 필요합니다. 만들 수 있는 최대 사탕 개수는 모두 몇 개이고, 남는 설탕은 몇 g인지 구하세요.

사탕: ______ 개, 남는 설탕: ______ g

5일 형성평가

1 빈칸에 알맞은 수를 쓰세요.

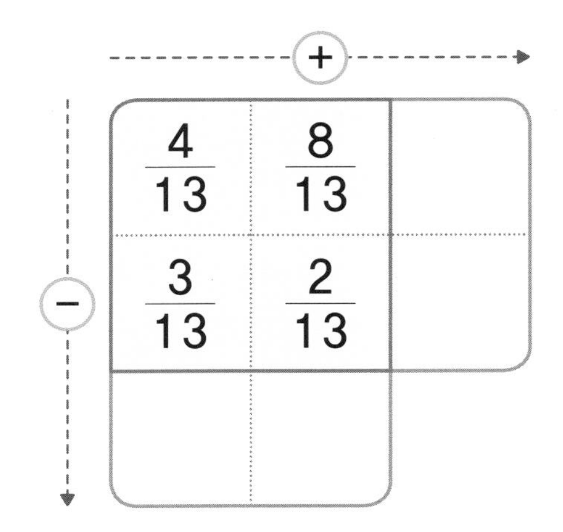

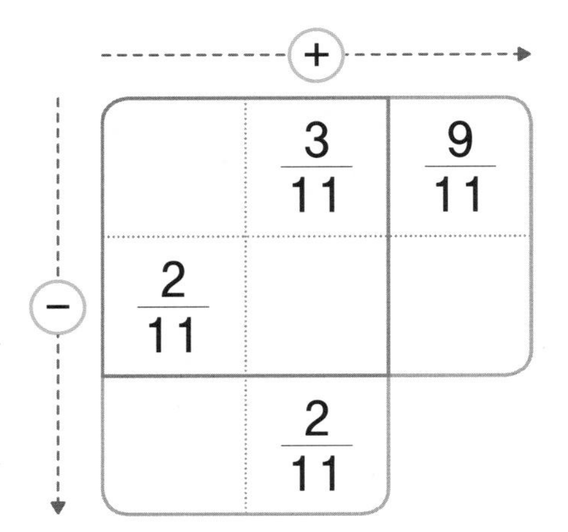

2 □ 안에 들어갈 수 있는 수를 모두 쓰세요.

$\frac{6}{7}+\frac{\square}{7}<1\frac{5}{7}$

$2\frac{1}{9}<\frac{24}{9}-\frac{\square}{9}<2\frac{4}{9}$

3 계산 결과의 크기를 비교하여 ○ 안에 >, =, <를 알맞게 넣으세요.

$\frac{7}{12}+\frac{8}{12}$ ○ $1\frac{5}{12}$

$1\frac{9}{10}-1\frac{2}{10}$ ○ $\frac{7}{10}$

4 두 분수를 구하세요.

• 두 분수의 분모가 모두 11입니다.
• 두 분수의 합은 $\frac{9}{11}$, 차는 $\frac{3}{11}$입니다.

• 두 분수의 분모가 모두 13입니다.
• 두 분수의 합은 $1\frac{4}{13}$, 차는 $\frac{5}{13}$입니다.

5 다음 중 두 수를 사용하여 식을 만들고 계산하세요.

$4\frac{2}{9}$ $3\frac{1}{9}$ 4 $\frac{7}{9}$

합이 가장 큰 식: 식 답

합이 가장 작은 식: 식 답

6 수 카드를 한 번씩 모두 사용하여 만들 수 있는 분모가 11인 가장 큰 대분수와 가장 작은 대분수의 합을 구하세요.

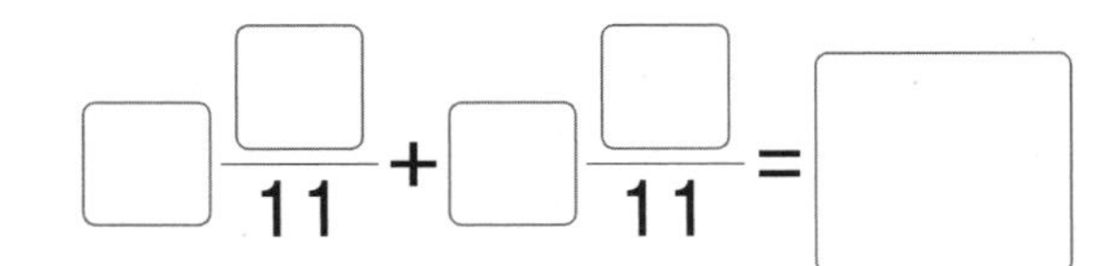

7 다음 식에서 ㉮+㉯가 가장 클 때의 값을 구하세요.

$$9\frac{㉮}{8}-6\frac{㉯}{8}=3\frac{3}{8}$$

㉮+㉯= ____________

8 상자 안의 수를 한 번씩 모두 사용하여 식의 계산 결과가 가장 큰 뺄셈식을 만들고 계산하세요.

1 2 3 4

$$\square\frac{\square}{5}-\square\frac{\square}{5}=\square$$

3 11 9 5

$$\square\frac{\square}{13}-\square\frac{\square}{13}=\square$$

9 감자 $10\frac{12}{13}$ kg이 있습니다. 감자칩 한 봉지를 만드는 데 감자가 $2\frac{2}{13}$ kg 필요합니다. 만들 수 있는 감자칩은 최대 몇 봉지이고, 남는 감자는 몇 kg인지 구하세요.

감자칩: ____________ 봉지, 남는 감자: ____________ kg

2주차

대분수의 덧셈, 뺄셈

받아올림, 받아내림이 있는 대분수의 덧셈, 뺄셈

1일 325 • 대분수의 덧셈 (2) 26

2일 326 • 자연수에서 분수 빼기 30

3일 327 • 대분수의 뺄셈 (2) 34

4일 328 • 대분수의 덧셈, 뺄셈 (2) 38

5일 형성평가 42

1일

325 대분수의 덧셈 (2)

대분수의 덧셈을 두 가지 방법으로 계산해 봅시다.

$$3\frac{3}{4}+2\frac{2}{4}=\boxed{5}+\frac{\boxed{5}}{4}=\boxed{5}+\boxed{1}\frac{\boxed{1}}{4}=\boxed{6}\frac{\boxed{1}}{4}$$

자연수는 자연수끼리, 분수는 분수끼리 더합니다. 분수 부분의 계산 결과가 가분수이면 대분수로 바꿉니다.

$$2\frac{3}{5}+4\frac{4}{5}=\frac{\boxed{13}}{5}+\frac{\boxed{24}}{5}=\frac{\boxed{37}}{5}=\boxed{7}\frac{\boxed{2}}{5}$$

대분수를 가분수로 바꾸어 분자끼리 더한 후 계산 결과를 대분수로 나타냅니다.

$$4\frac{4}{6}+\frac{3}{6}=\square+\frac{\square}{6}=\square+\square\frac{\square}{6}=\square\frac{\square}{6}$$

$$2\frac{2}{3}+\frac{2}{3}=\frac{\square}{3}+\frac{\square}{3}=\frac{\square}{3}=\square\frac{\square}{3}$$

$$1\frac{8}{11}+4\frac{6}{11}=\square+\frac{\square}{11}=\square+\square\frac{\square}{11}=\square\frac{\square}{11}$$

$$2\frac{5}{7}+3\frac{3}{7}=\frac{\square}{7}+\frac{\square}{7}=\frac{\square}{7}=\square\frac{\square}{7}$$

$3\frac{4}{5}+\frac{3}{5}$

$\frac{5}{7}+2\frac{5}{7}$

$1\frac{8}{9}+\frac{5}{9}$

$\frac{5}{6}+7\frac{3}{6}$

$5\frac{6}{8}+\frac{7}{8}$

$\frac{4}{5}+9\frac{4}{5}$

$5\frac{2}{3}+2\frac{2}{3}$

$4\frac{7}{9}+1\frac{4}{9}$

$3\frac{5}{7}+3\frac{6}{7}$

$3\frac{9}{11}+5\frac{7}{11}$

$2\frac{3}{5}+2\frac{3}{5}$

$1\frac{6}{13}+2\frac{9}{13}$

$1\frac{6}{8}+4\frac{5}{8}$

$\frac{6}{7}+2\frac{3}{7}$

$4\frac{8}{9}+3\frac{6}{9}$

$2\frac{13}{15}+2\frac{13}{15}$

$3\frac{8}{11}+\frac{6}{11}$

$6\frac{11}{17}+5\frac{14}{17}$

1 ◠ 안의 수가 합이 되는 두 수를 찾아 색칠하세요.

$5\frac{4}{9}$

$4\frac{7}{9}$	$3\frac{8}{9}$	$\frac{4}{9}$
$\frac{7}{9}$	$\frac{5}{9}$	$\frac{8}{9}$
$4\frac{8}{9}$	$4\frac{4}{9}$	$5\frac{1}{9}$

$7\frac{3}{7}$

$3\frac{4}{7}$	$2\frac{6}{7}$	$2\frac{1}{7}$
$4\frac{5}{7}$	$4\frac{3}{7}$	$3\frac{6}{7}$
$3\frac{5}{7}$	$4\frac{6}{7}$	$5\frac{1}{7}$

2 상자 안의 수를 한 번씩 모두 사용하여 분수의 덧셈식을 완성하세요.

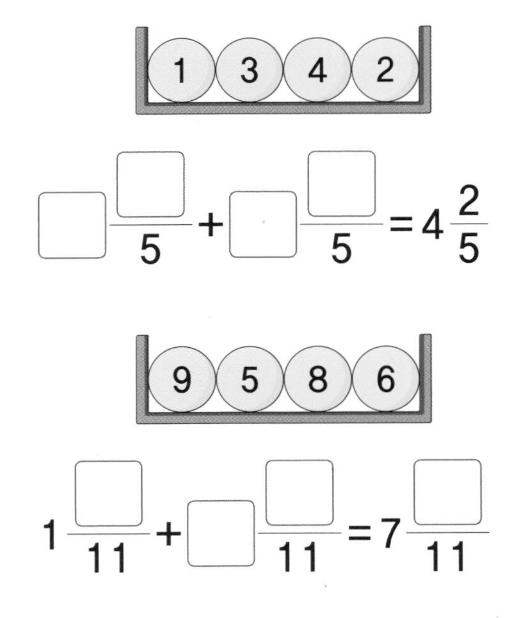

$\square\frac{\square}{5}+\square\frac{\square}{5}=4\frac{2}{5}$

$1\frac{\square}{11}+\square\frac{\square}{11}=7\frac{\square}{11}$

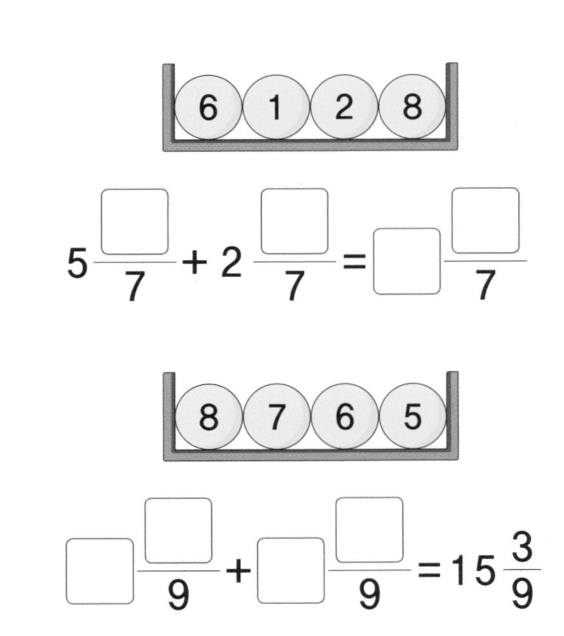

$5\frac{\square}{7}+2\frac{\square}{7}=\square\frac{\square}{7}$

$\square\frac{\square}{9}+\square\frac{\square}{9}=15\frac{3}{9}$

3 □ 안에 들어갈 수 있는 수를 모두 쓰세요.

$\frac{7}{9}+1\frac{\square}{9}<2\frac{4}{9}+\frac{1}{9}$

$1\frac{\square}{10}+2\frac{9}{10}>1\frac{2}{10}+3\frac{1}{10}$

4 수 카드 8, 4, 7 이 있습니다.

수 카드로 만들 수 있는 대분수를 모두 쓰세요.

위에서 만든 대분수 중 분모가 같은 대분수의 합을 구하세요.

식

답

5 지연이의 집에서 마트까지는 $2\frac{5}{7}$ km이고, 마트에서 할머니 댁까지는 $1\frac{6}{7}$ km입니다. 지연이가 집에서 마트를 지나 할머니 댁에 가려면 모두 몇 km를 가야 할까요?

식

답 km

2일

326 자연수에서 분수 빼기

자연수에서 대분수를 빼는 방법을 알아봅시다.

$$3-1\frac{3}{5}=2\frac{5}{5}-1\frac{3}{5}=1\frac{2}{5}$$

자연수에서 1 만큼을 빼는 분수와 분모가 같은 분수로 바꾼 후 자연수는 자연수끼리, 분수는 분수끼리 뺍니다.

$$4-1\frac{5}{6}=\frac{24}{6}-\frac{11}{6}=\frac{13}{6}=2\frac{1}{6}$$

자연수와 대분수를 모두 가분수로 바꾸어 분자끼리 뺀 후, 계산 결과가 가분수이면 대분수로 나타냅니다.

$$8-\frac{5}{9}=7\frac{\square}{9}-\frac{5}{9}=\square\frac{\square}{9}$$

$$7-2\frac{3}{8}=6\frac{\square}{8}-2\frac{3}{8}=\square\frac{\square}{8}$$

$$3-\frac{3}{7}=\frac{\square}{7}-\frac{3}{7}=\frac{\square}{7}=\square\frac{\square}{7}$$

$$6-2\frac{3}{10}=\frac{\square}{10}-\frac{\square}{10}=\frac{\square}{10}=\square\frac{\square}{10}$$

$$9-4\frac{5}{11}=\frac{\square}{11}-\frac{\square}{11}=\frac{\square}{11}=\square\frac{\square}{11}$$

$1-\frac{3}{4}$

$1-\frac{2}{7}$

$1-\frac{3}{10}$

$2-\frac{1}{5}$

$5-\frac{6}{7}$

$3-\frac{5}{11}$

$6-2\frac{5}{8}$

$8-3\frac{4}{9}$

$7-5\frac{1}{3}$

$5-1\frac{3}{7}$

$10-7\frac{3}{13}$

$9-2\frac{2}{5}$

$11-5\frac{7}{9}$

$9-1\frac{4}{11}$

$12-3\frac{3}{8}$

$10-2\frac{6}{13}$

$13-5\frac{4}{5}$

$14-7\frac{4}{7}$

1 뺄셈에 맞게 선으로 이으세요.

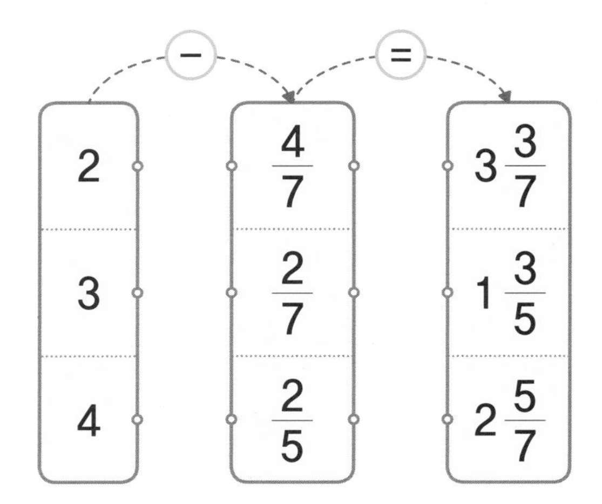

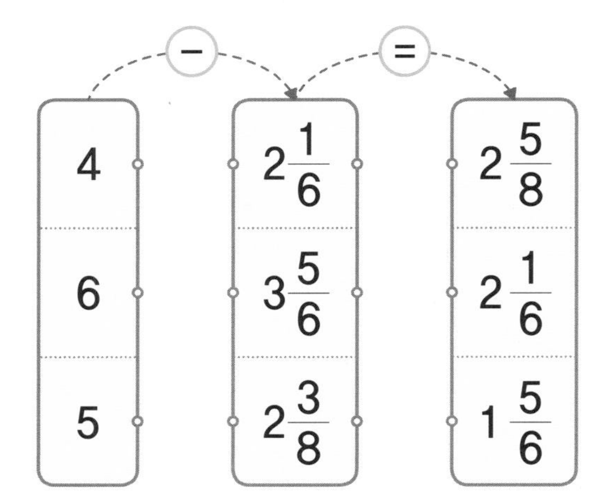

2 주어진 수를 한 번씩 모두 사용하여 계산 결과가 가장 큰 (자연수) − (분수)의 식을 만들고 계산하세요.

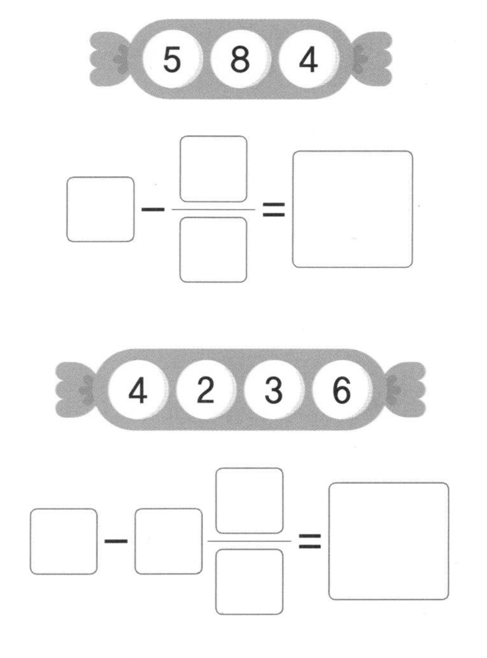

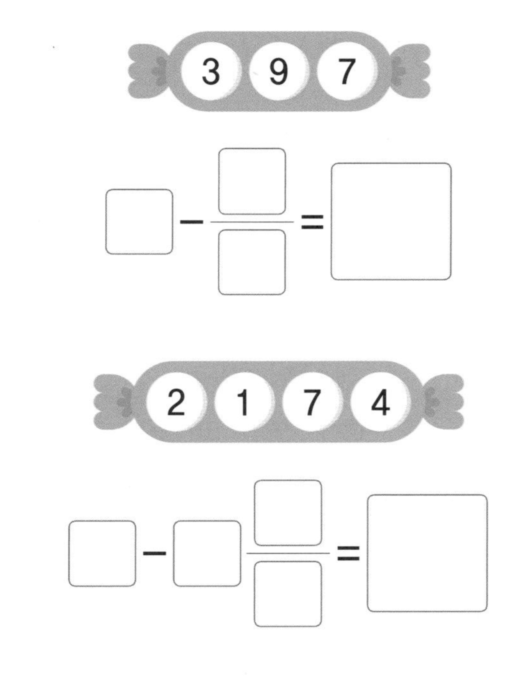

3 □ 안에 알맞은 수를 쓰세요.

1은 $\frac{1}{8}$이 □개, $\frac{3}{8}$은 $\frac{1}{8}$이 □개이므로, $1-\frac{3}{8}$은 $\frac{1}{8}$이 □개입니다.

따라서 $1-\frac{3}{8}=\frac{\square}{\square}$입니다.

4 어떤 수에서 $2\frac{2}{7}$를 빼야 할 것을 잘못하여 더했더니 $7\frac{2}{7}$가 되었습니다. 바르게 계산하면 얼마일까요?

잘못된 식: 식 ______ 어떤 수: ______

바르게 계산하기: 식 ______ 답 ______

5 민수는 책을 어제까지 전체의 $\frac{3}{8}$만큼 읽었습니다. 민수가 오늘 전체의 얼마를 읽어야 책을 모두 읽게 될까요?

식 ______ 답 ______

6 탁구공과 농구공을 4 m 위에서 떨어뜨립니다. 탁구공은 3 m 튀어 올랐고, 농구공은 $1\frac{4}{7}$ m 튀어 올랐습니다. 탁구공은 농구공보다 몇 m 더 튀어 올랐을까요?

식 ______ 답 ______ m

대분수의 뺄셈 (2)

분수 부분끼리는 뺄 수 없는 대분수의 뺄셈을 알아봅시다.

$$7\frac{2}{5}-3\frac{4}{5}=6\frac{\boxed{7}}{5}-3\frac{4}{5}=\boxed{3}\frac{\boxed{3}}{5}$$

빼지는 분수의 자연수에서 1 만큼을 가분수로 바꾼 후 자연수는 자연수끼리, 분수는 분수끼리 뺍니다.

$$3\frac{3}{4}-2\frac{2}{4}=\frac{\boxed{15}}{4}-\frac{\boxed{10}}{4}=\frac{\boxed{5}}{4}=\boxed{1}\frac{\boxed{1}}{4}$$

대분수를 가분수로 바꾸어 분자끼리 뺀 후 계산 결과가 가분수이면 대분수로 나타냅니다.

$$5\frac{3}{7}-\frac{5}{7}=4\frac{\square}{7}-\frac{\square}{7}=\square\frac{\square}{7}$$

$$7\frac{5}{11}-6\frac{9}{11}=6\frac{\square}{11}-6\frac{9}{11}=\frac{\square}{\square}$$

$$11\frac{2}{5}-10\frac{4}{5}=\frac{\square}{5}-\frac{\square}{5}=\frac{\square}{\square}$$

$$4\frac{3}{13}-1\frac{5}{13}=\frac{\square}{13}-\frac{\square}{13}=\frac{\square}{13}=\square\frac{\square}{13}$$

$2\frac{3}{9}-\frac{7}{9}$

$4\frac{1}{7}-\frac{4}{7}$

$3\frac{2}{11}-\frac{9}{11}$

$4\frac{1}{4}-\frac{2}{4}$

$1\frac{1}{5}-\frac{4}{5}$

$6\frac{3}{8}-\frac{6}{8}$

$5\frac{2}{9}-4\frac{7}{9}$

$3\frac{4}{13}-2\frac{11}{13}$

$8\frac{5}{7}-7\frac{6}{7}$

$6\frac{2}{5}-2\frac{4}{5}$

$9\frac{2}{10}-4\frac{9}{10}$

$11\frac{1}{3}-3\frac{2}{3}$

$15\frac{3}{11}-9\frac{9}{11}$

$4\frac{2}{12}-\frac{7}{12}$

$6\frac{3}{9}-2\frac{7}{9}$

$7\frac{2}{7}-1\frac{5}{7}$

$2\frac{6}{17}-\frac{14}{17}$

$9\frac{4}{8}-4\frac{7}{8}$

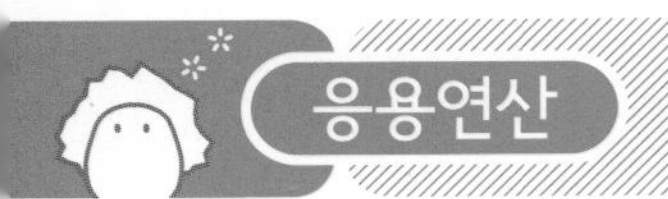

1 가로, 세로, 대각선 방향으로 안의 수가 차가 되는 두 수를 묶으세요. (두 가지 방법이 있습니다.)

$1\frac{5}{7}$

$\frac{3}{7}$	$4\frac{2}{7}$	$\frac{5}{7}$
$5\frac{2}{7}$	$2\frac{3}{7}$	$1\frac{5}{7}$
$2\frac{2}{7}$	$\frac{4}{7}$	$3\frac{2}{7}$

$2\frac{8}{11}$	$5\frac{3}{11}$	$1\frac{9}{11}$
$3\frac{5}{11}$	$2\frac{7}{11}$	$4\frac{5}{11}$
$1\frac{5}{11}$	$3\frac{10}{11}$	$1\frac{10}{11}$

2 상자 안의 수를 한 번씩 모두 사용하여 분수의 뺄셈식을 완성하세요.

$\square\frac{\square}{7}-\square\frac{\square}{7}=3\frac{6}{7}$

3 2 6 1

$\square\frac{\square}{5}-\square\frac{4}{5}=4\frac{\square}{5}$

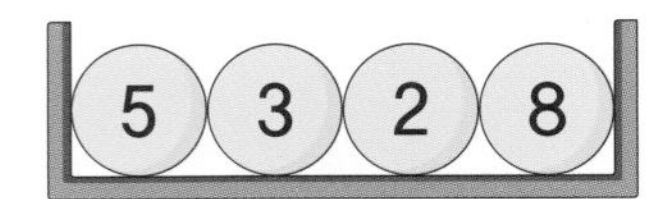

$9\frac{1}{9}-\square\frac{\square}{9}=\square\frac{\square}{9}$

3 7 4 8

$6\frac{\square}{11}-2\frac{\square}{11}=\square\frac{\square}{11}$

3 주어진 수를 한 번씩 모두 사용하여 계산 결과가 가장 작은 (대분수) − (대분수)의 식을 만들고 계산하세요.

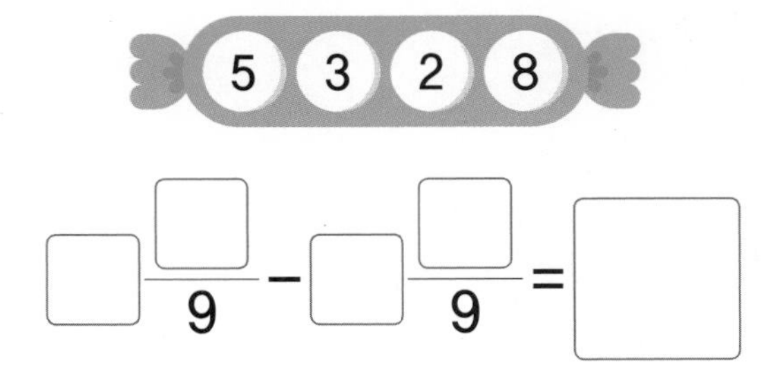

$\square\frac{\square}{9} - \square\frac{\square}{9} = \square$

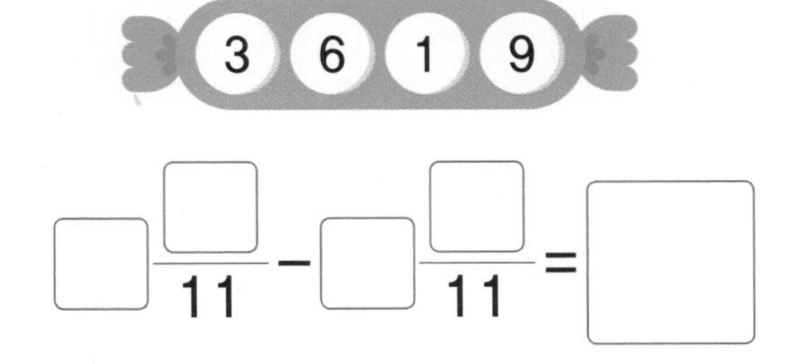

$\square\frac{\square}{11} - \square\frac{\square}{11} = \square$

4 □ 안에 들어갈 수 있는 수를 모두 쓰세요.

$3\frac{\square}{11} - \frac{7}{11} < 2\frac{10}{11} - \frac{1}{11}$

$8\frac{\square}{11} - 8\frac{2}{11} > 4\frac{1}{11} - 3\frac{8}{11}$

5 다음은 슬기와 정호가 계산이 잘못되었다고 이야기한 것입니다. □ 안에 알맞은 수를 쓰세요.

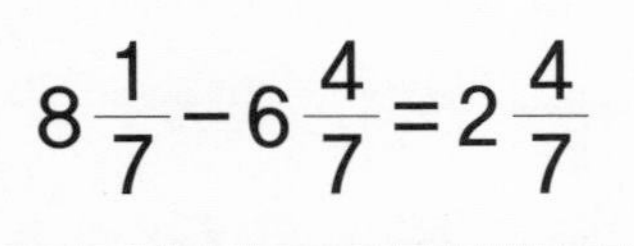

$8\frac{1}{7} - 6\frac{4}{7} = 2\frac{4}{7}$

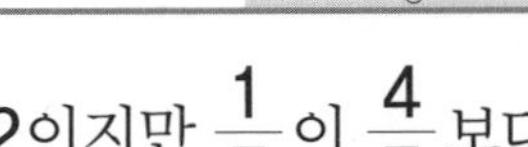

슬기

덧셈으로 검산해 보면 $6\frac{4}{7} + 2\frac{4}{7}$는 $8\frac{1}{7}$이 아니라 □ 이므로 계산이 잘못되었어.

정호

$8-6=2$이지만 $\frac{1}{7}$이 $\frac{4}{7}$보다 작으므로 계산 결과는 □보다 작아야 해.

대분수의 덧셈, 뺄셈 (2)

덧셈과 뺄셈이 섞여 있는 대분수의 계산을 알아봅시다.

$$3\frac{2}{13}-1\frac{8}{13}+4\frac{1}{13}=2\frac{\boxed{15}}{13}-1\frac{8}{13}+4\frac{1}{13}$$

$$=(\boxed{2}-\boxed{1}+\boxed{4})+(\frac{\boxed{15}}{13}-\frac{\boxed{8}}{13}+\frac{\boxed{1}}{13})$$

$$=\boxed{5}+\frac{\boxed{8}}{13}=\boxed{5}\frac{\boxed{8}}{\boxed{13}}$$

분수 부분끼리 뺄 수 없을 때에는 빼지는 분수의 자연수에서 1 만큼을 가분수로 바꿉니다.

$$1\frac{2}{7}+3\frac{1}{7}-1\frac{5}{7}=\frac{\boxed{9}}{7}+\frac{\boxed{22}}{7}-\frac{\boxed{12}}{7}=\frac{\boxed{19}}{7}=\boxed{2}\frac{\boxed{5}}{\boxed{7}}$$

대분수를 가분수로 바꾸어 계산합니다.

$$7\frac{3}{5}-2\frac{4}{5}-1\frac{2}{5}=6\frac{\square}{5}-2\frac{4}{5}-1\frac{2}{5}$$

$$=(\square-\square-\square)+(\frac{\square}{5}-\frac{\square}{5}-\frac{\square}{5})=\square+\frac{\square}{5}=\square\frac{\square}{\square}$$

$$2\frac{7}{8}+1\frac{5}{8}+1\frac{1}{8}=\frac{\square}{8}+\frac{\square}{8}+\frac{\square}{8}=\frac{\square}{8}=\square\frac{\square}{\square}$$

$2\frac{3}{11}+1\frac{9}{11}+\frac{8}{11}$

$2\frac{6}{7}+1\frac{5}{7}+3\frac{4}{7}$

$9\frac{5}{11}-4\frac{9}{11}+\frac{6}{11}$

$14\frac{4}{7}-6\frac{2}{7}-5\frac{5}{7}$

$4\frac{4}{7}+2\frac{6}{7}-1\frac{5}{7}$

$3\frac{2}{4}+\frac{3}{4}-2\frac{2}{4}$

$9\frac{5}{9}-3\frac{6}{9}+5\frac{7}{9}$

$3\frac{2}{13}-\frac{5}{13}+6\frac{1}{13}$

$5\frac{11}{13}+\frac{7}{13}-3\frac{12}{13}$

$7\frac{5}{9}+3\frac{6}{9}-5\frac{4}{9}$

$3\frac{2}{10}-\frac{4}{10}+3\frac{5}{10}$

$4\frac{2}{5}-3\frac{4}{5}+5\frac{3}{5}$

1 가로, 세로로 두 수의 합과 차에 맞게 상자 안의 수를 빈칸에 쓰세요.

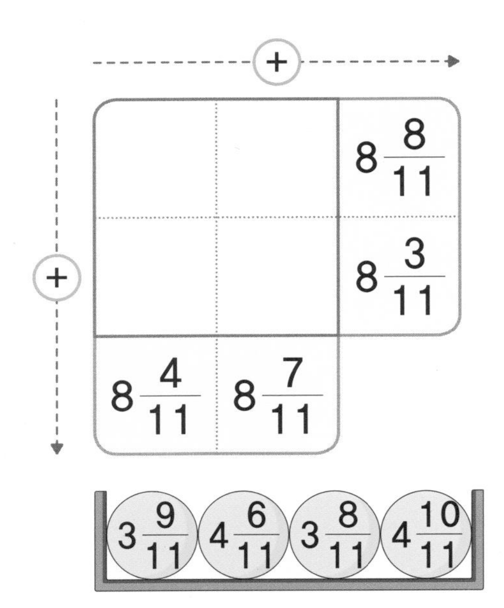

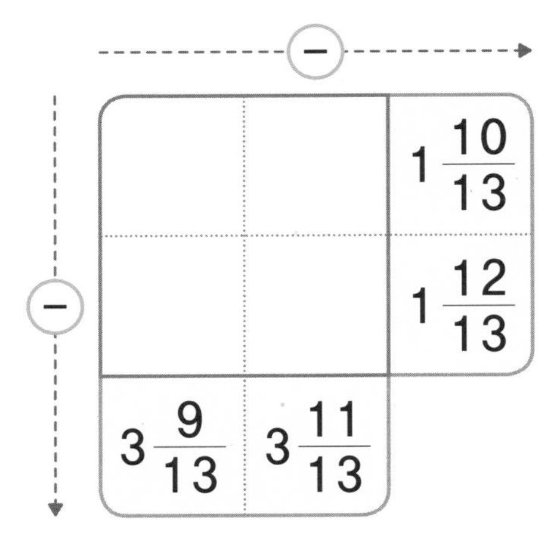

2 다음과 같이 계산 결과에 맞게 ×표 하여 수를 지우세요.

$1\frac{6}{7}+8\frac{5}{7}-5\frac{6}{7}+2\frac{3}{7}=4\frac{5}{7}$

$6\frac{4}{9}-4\frac{5}{9}+2\frac{8}{9}+7\frac{6}{9}=9\frac{5}{9}$

3 수 카드로 분모가 같은 대분수 2개를 만들고, 두 대분수를 넣어 만든 식을 계산하세요.

4 8 5

$2\frac{3}{8}+\square\frac{\square}{\square}+\square\frac{\square}{\square}=\square$

4 분수 카드 중 3장을 사용하여 계산 결과가 5에 가장 가까운 덧셈, 뺄셈이 섞여 있는 식을 만들고 계산하세요.

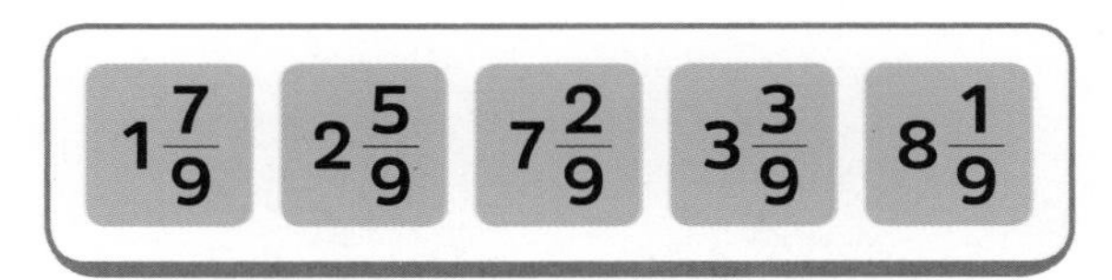

____

5 수 카드를 한 번씩 모두 사용하여 다음 식을 완성하세요.

2 4 5 9

$\square\frac{3}{10}+2\frac{\square}{10}-\square\frac{\square}{10}=2\frac{6}{10}$

6 길이가 $7\frac{2}{8}$ m인 색 테이프가 있습니다. 물건 하나를 포장하는 데 $2\frac{3}{8}$ m의 색 테이프를 사용한다면 색 테이프로 포장할 수 있는 물건은 최대 몇 개이고, 남는 색 테이프는 몇 m일까요?

물건: __________ 개, 남는 색 테이프: __________ m

형성평가

1 안의 수가 합이 되는 두 수를 찾아 색칠하세요.

$12\frac{5}{11}$

$4\frac{3}{11}$	$5\frac{8}{11}$	$8\frac{7}{11}$
$3\frac{9}{11}$	$\frac{10}{11}$	$2\frac{5}{11}$
$9\frac{1}{11}$	$5\frac{2}{11}$	$6\frac{9}{11}$

$7\frac{3}{12}$

$2\frac{5}{12}$	$2\frac{7}{12}$	$4\frac{11}{12}$
$3\frac{11}{12}$	$3\frac{9}{12}$	$2\frac{9}{12}$
$3\frac{5}{12}$	$3\frac{6}{12}$	$5\frac{1}{12}$

2 윤석이의 집에서 병원까지의 거리는 $1\frac{15}{17}$ km이고, 병원에서 학교까지의 거리는 $2\frac{8}{17}$ km입니다. 윤석이가 집에서 병원을 지나 학교에 가려면 모두 몇 km를 가야 할까요?

3 주어진 수를 한 번씩 모두 사용하여 계산 결과가 가장 큰 (자연수) − (분수)의 식을 만들고 계산하세요.

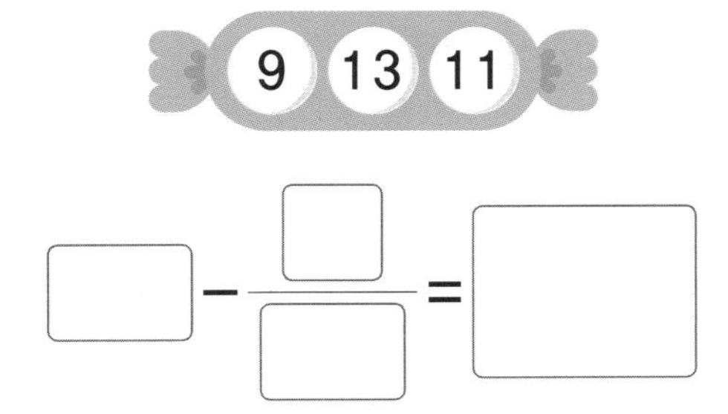

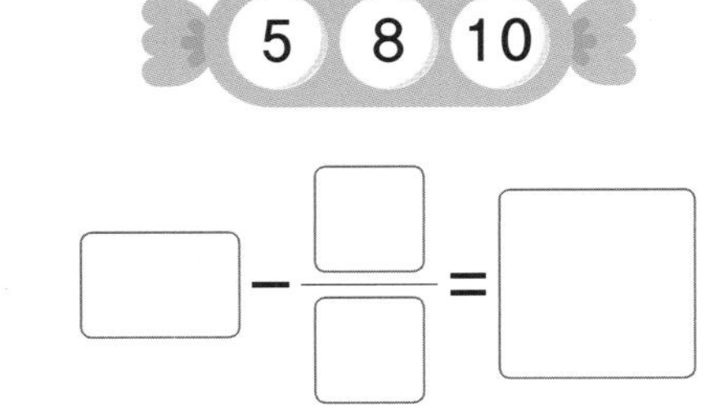

4 어떤 수에서 $4\frac{10}{13}$을 빼야 할 것을 잘못하여 더했더니 $11\frac{2}{13}$가 되었습니다. 바르게 계산하면 얼마일까요?

잘못된 식: 식 ______________________ 어떤 수: __________

바르게 계산하기: 식 ______________________ 답 __________

5 가로, 세로, 대각선 방향으로 ✹ 안의 수가 차가 되는 두 수를 묶으세요. (두 가지 방법이 있습니다.)

$4\frac{2}{7}$	$5\frac{2}{7}$	$\frac{6}{7}$
$6\frac{1}{7}$	$2\frac{3}{7}$	$4\frac{2}{7}$
$2\frac{5}{7}$	$5\frac{4}{7}$	$1\frac{3}{7}$

$6\frac{8}{9}$	$1\frac{4}{9}$	$6\frac{2}{9}$
$5\frac{1}{9}$	$3\frac{7}{9}$	$1\frac{5}{9}$
$\frac{1}{9}$	$\frac{6}{9}$	$3\frac{1}{9}$

6 수 카드로 만들 수 있는 대분수 중 분모가 같은 대분수 2개를 골라 합과 차를 구하세요.

합: $\square\frac{\square}{\square} + \square\frac{\square}{\square} = \square$

차: $\square\frac{\square}{\square} - \square\frac{\square}{\square} = \square$

7 다음은 민주와 준희가 계산이 잘못되었다고 이야기한 것입니다. □ 안에 알맞은 수를 쓰세요.

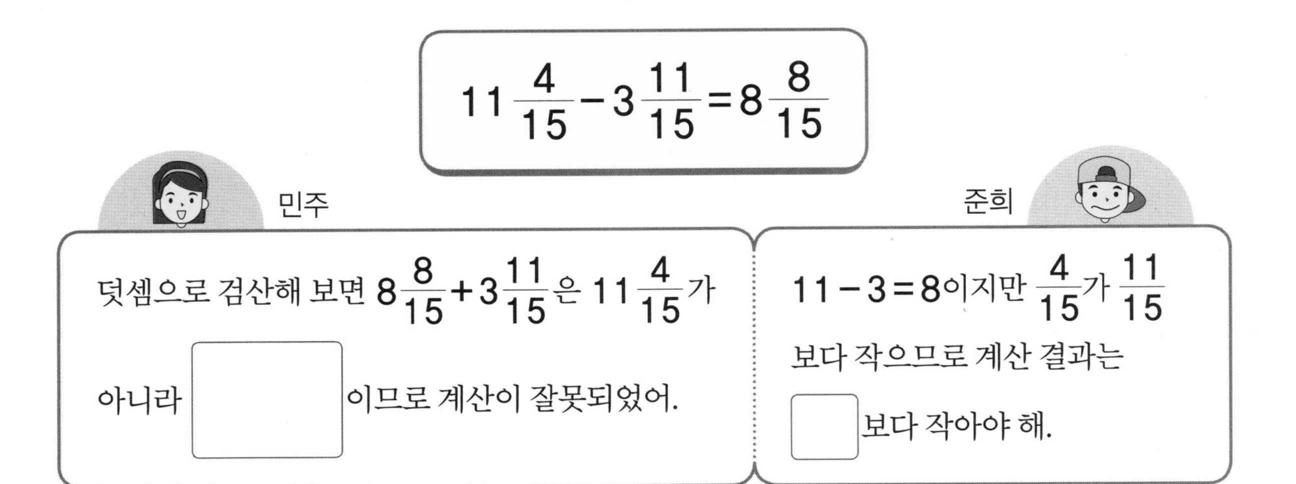

$11\frac{4}{15}-3\frac{11}{15}=8\frac{8}{15}$
민주
준희
덧셈으로 검산해 보면 $8\frac{8}{15}+3\frac{11}{15}$은 $11\frac{4}{15}$가 아니라 □이므로 계산이 잘못되었어.
$11-3=8$이지만 $\frac{4}{15}$가 $\frac{11}{15}$보다 작으므로 계산 결과는 □보다 작아야 해.

8 다음과 같이 계산 결과에 맞게 ╳표 하여 수를 지우세요.

$13\frac{1}{11}-9\frac{3}{11}+\cancel{4\frac{5}{11}}+2\frac{7}{11}=6\frac{5}{11}$

$4\frac{8}{13}+7\frac{5}{13}+6\frac{4}{13}-6\frac{7}{13}=4\frac{5}{13}$

9 분수 카드 중 3장을 사용하여 계산 결과가 7에 가장 가까운 덧셈, 뺄셈이 섞여 있는 식을 만들고 계산하세요.

$2\frac{1}{7}$ $5\frac{4}{7}$ $2\frac{6}{7}$ $1\frac{4}{7}$ $3\frac{6}{7}$

____

3주차

분수의 크기 비교

분모가 다른 분수와 크기 비교

1일 329 • 크기가 같은 분수 ········ 46

2일 330 • 분수의 크기 비교하기 ········ 50

3일 331 • 크기가 같은 분수로 크기 비교 ··· 54

4일 332 • 분수의 2배와 반 ········ 58

5일 형성평가 ········ 62

크기가 같은 분수

크기가 같은 분수를 알아봅시다.

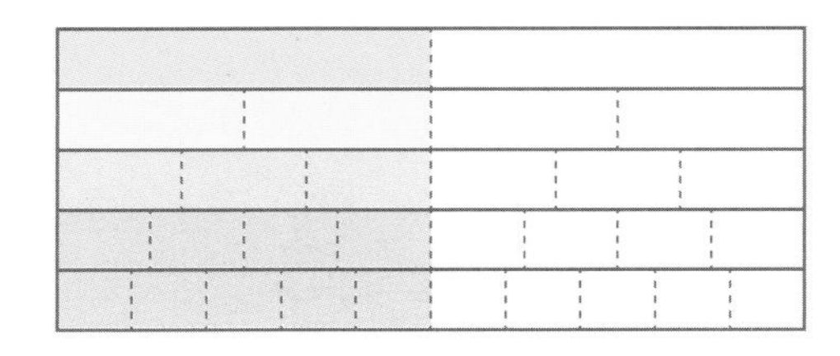

$$\frac{1}{2}=\frac{\boxed{2}}{4}=\frac{3}{\boxed{6}}=\frac{\boxed{4}}{8}=\frac{5}{\boxed{10}}$$

분모, 분자에 0이 아닌 같은 수를 곱하면 크기가 같은 분수가 됩니다. $\frac{1}{2}=\frac{1\times2}{2\times2}=\frac{2}{4}$

분모, 분자를 0이 아닌 같은 수로 나누면 크기가 같은 분수가 됩니다. $\frac{3}{6}=\frac{3\div3}{6\div3}=\frac{1}{2}$

$$\frac{2}{3}=\frac{4}{\square}=\frac{6}{\square}=\frac{\square}{12}=\frac{\square}{15}$$

$$\frac{15}{20}=\frac{\square}{16}=\frac{\square}{12}=\frac{6}{\square}=\frac{3}{\square}$$

$$\frac{3}{5}=\frac{\square}{10}=\frac{9}{\square}=\frac{\square}{20}=\frac{15}{\square}$$

$\frac{2}{7}=\frac{\square}{14}$ $\frac{\square}{9}=\frac{1}{3}$ $\frac{5}{6}=\frac{\square}{18}$

$\frac{2}{14}=\frac{1}{\square}$ $\frac{1}{\square}=\frac{3}{15}$ $\frac{9}{18}=\frac{1}{\square}$

$\frac{1}{3}=\frac{\square}{6}=\frac{\square}{9}$ $\frac{4}{8}=\frac{2}{\square}=\frac{1}{\square}$ $\frac{1}{5}=\frac{\square}{10}=\frac{\square}{15}$

$\frac{6}{12}=\frac{3}{\square}=\frac{2}{\square}$ $\frac{1}{6}=\frac{\square}{18}=\frac{\square}{24}$ $\frac{8}{16}=\frac{2}{\square}=\frac{1}{\square}$

$5\frac{3}{5}=5\frac{\square}{20}$ $4\frac{5}{8}=4\frac{\square}{16}$ $3\frac{2}{9}=\square\frac{6}{\square}$

$2\frac{21}{30}=2\frac{\square}{10}$ $3\frac{30}{45}=3\frac{2}{\square}$ $1\frac{10}{45}=\square\frac{2}{\square}$

1 크기가 같은 분수를 만들려고 합니다. □ 안에 알맞은 수 또는 말을 쓰세요.

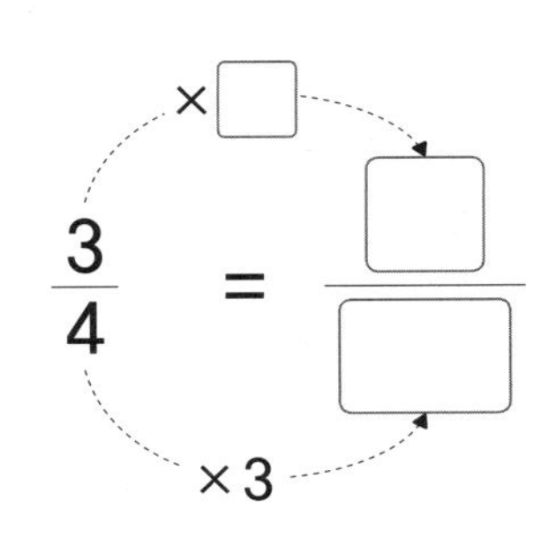

분모와 분자에 0이 아닌 같은 수를 □ 크기가 같은 분수를 만들 수 있습니다.

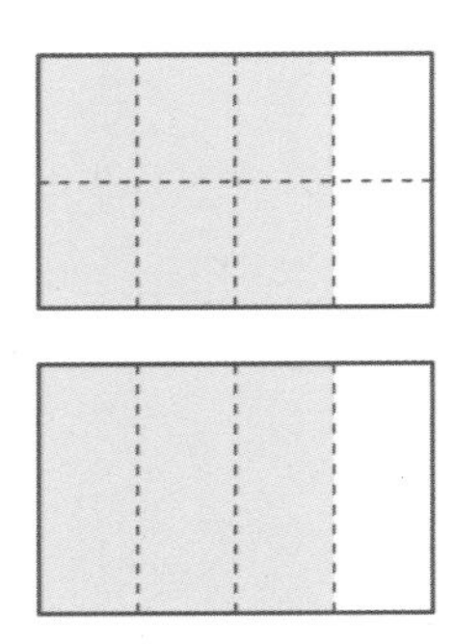
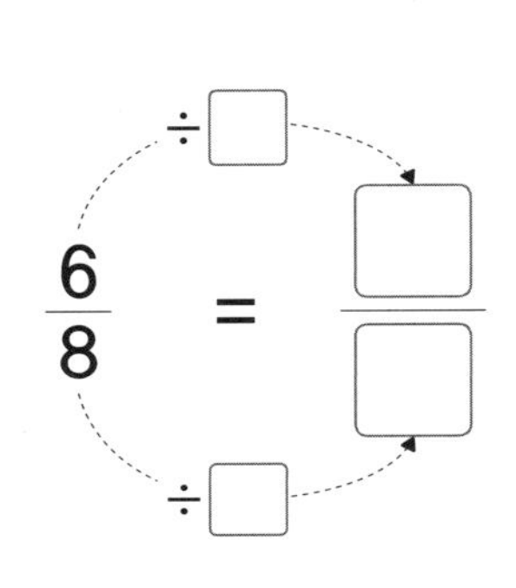

분모와 분자를 0이 아닌 같은 수로 □ 크기가 같은 분수를 만들 수 있습니다.

2 ◯ 안의 분수와 크기가 같은 분수에 모두 ◯표 하세요.

$\frac{3}{7}$ ······ $\frac{12}{28}$ $\frac{6}{10}$ $\frac{6}{14}$ $\frac{9}{21}$ $\frac{9}{14}$ $\frac{15}{28}$

$2\frac{24}{32}$ ······ $2\frac{12}{16}$ $2\frac{6}{8}$ $2\frac{4}{5}$ $2\frac{3}{4}$ $1\frac{2}{3}$ $2\frac{8}{10}$

3 수 카드를 사용하여 주어진 분수와 크기가 같은 분수를 만드세요.

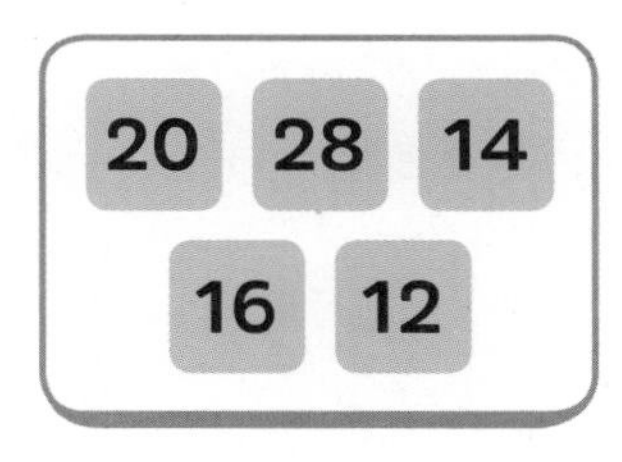

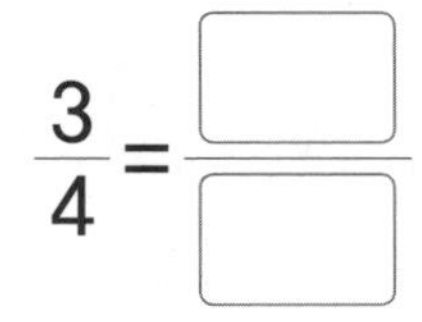

$\frac{3}{4} = \frac{\square}{\square}$

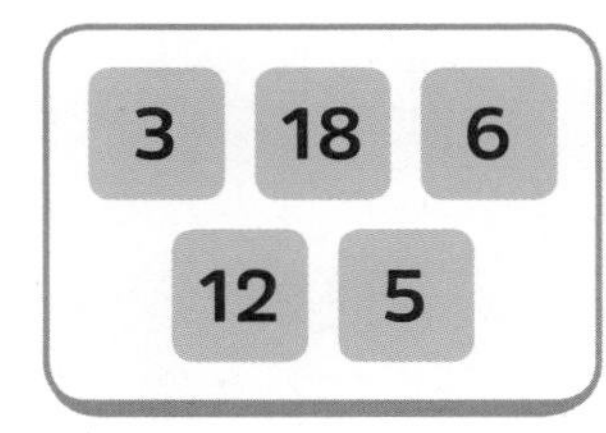

$\frac{12}{36} = \frac{\square}{\square}$

4 $\frac{2}{3}$와 크기가 같은 분수 중에서 분자와 분모의 합이 40인 분수를 쓰세요.

$\square$

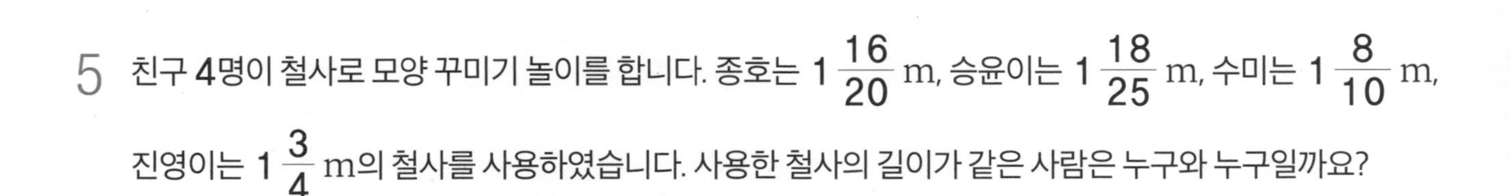

5 친구 4명이 철사로 모양 꾸미기 놀이를 합니다. 종호는 $1\frac{16}{20}$ m, 승윤이는 $1\frac{18}{25}$ m, 수미는 $1\frac{8}{10}$ m, 진영이는 $1\frac{3}{4}$ m의 철사를 사용하였습니다. 사용한 철사의 길이가 같은 사람은 누구와 누구일까요?

__________, __________

6 승호는 케이크를 똑같이 5조각으로 나눈 후 2조각을 먹었습니다. 지윤이는 같은 케이크를 똑같이 15조각으로 나누었습니다. 승호와 똑같은 양을 먹으려면 지윤이는 몇 조각을 먹어야 할까요?

__________ 조각

분수의 크기 비교하기

분수만큼 색칠하고 분수의 크기를 비교하여 봅시다.

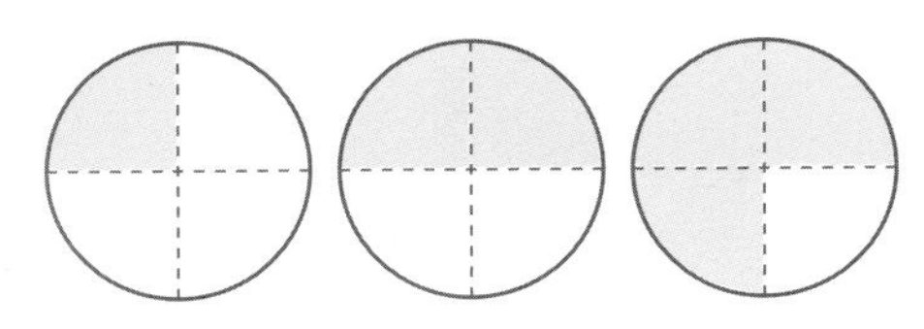

$\frac{1}{4} < \frac{2}{4} < \frac{3}{4}$

분모가 같은 분수는 분자가 클수록 큽니다.

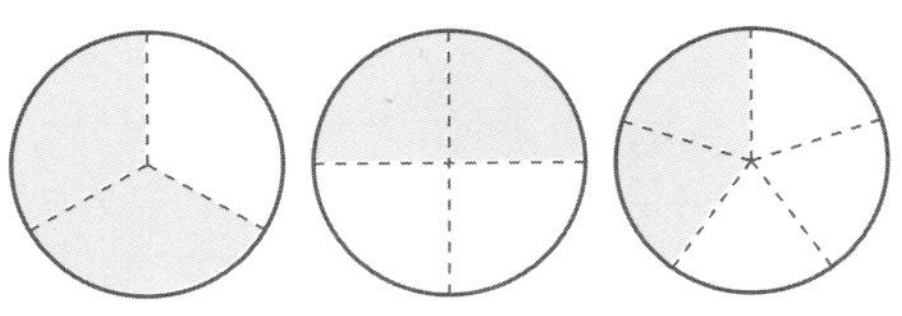

$\frac{2}{3} > \frac{2}{4} > \frac{2}{5}$

분자가 같은 분수는 분모가 작을수록 큽니다.

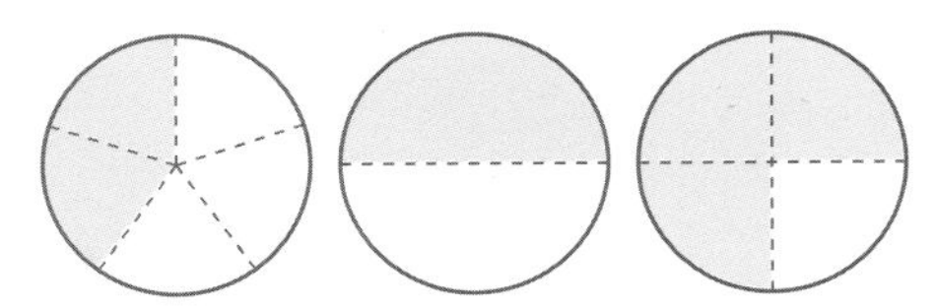

$\frac{2}{5} < \frac{1}{2} < \frac{3}{4}$

분자를 2배 한 수가 분모보다 크면

그 분수는 $\frac{1}{2}$ 보다 큽니다.

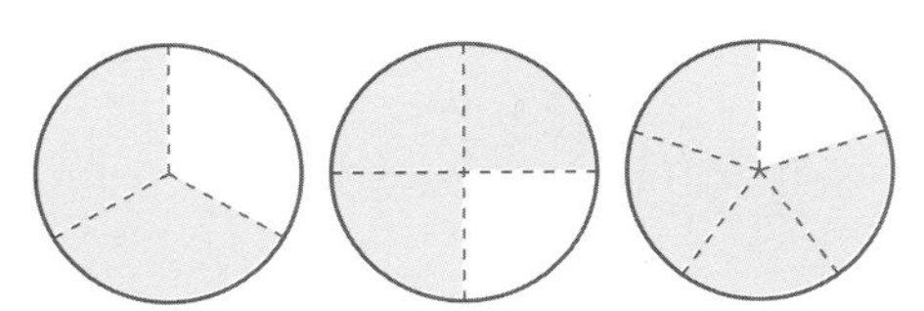

$\frac{2}{3} < \frac{3}{4} < \frac{4}{5}$

분자가 분모보다 1 작은 분수는

분모가 클수록 큽니다.

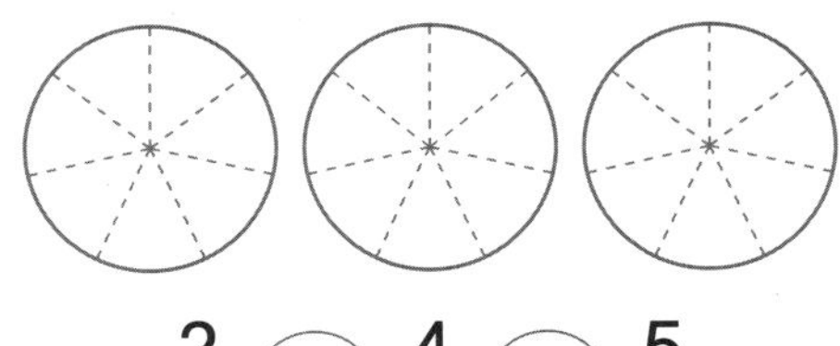

$\frac{2}{7}$ ◯ $\frac{4}{7}$ ◯ $\frac{5}{7}$

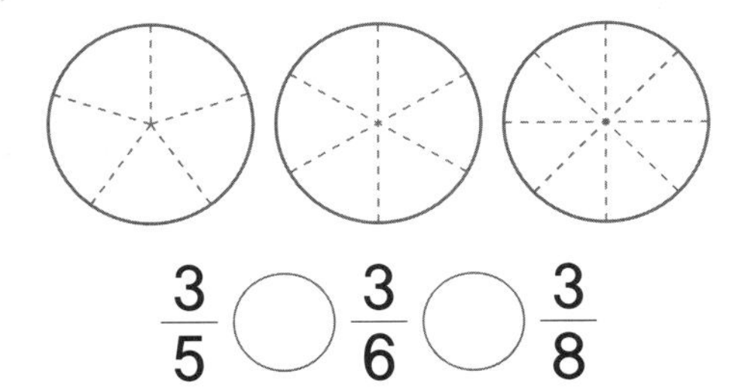

$\frac{3}{5}$ ◯ $\frac{3}{6}$ ◯ $\frac{3}{8}$

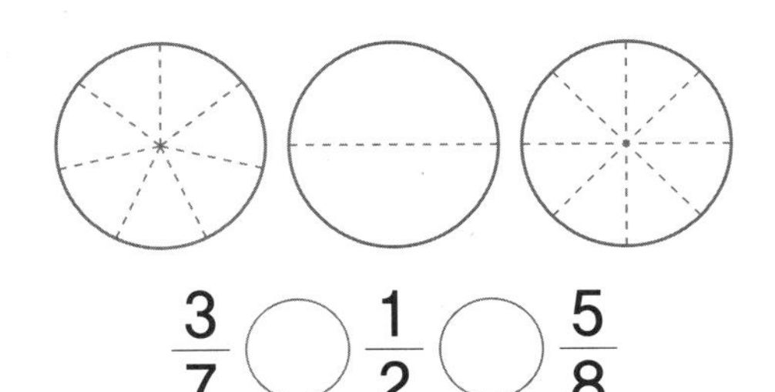

$\frac{3}{7}$ ◯ $\frac{1}{2}$ ◯ $\frac{5}{8}$

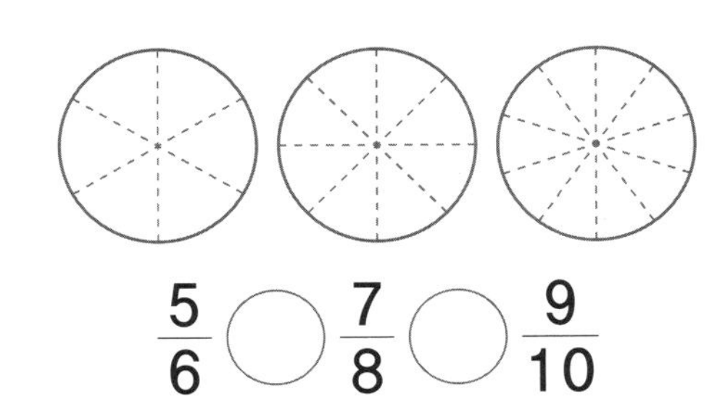

$\frac{5}{6}$ ◯ $\frac{7}{8}$ ◯ $\frac{9}{10}$

$\frac{2}{13} \bigcirc \frac{7}{13}$　　$\frac{5}{9} \bigcirc \frac{4}{9}$　　$\frac{2}{5} \bigcirc \frac{4}{5}$

$\frac{6}{7} \bigcirc \frac{6}{11}$　　$\frac{5}{7} \bigcirc \frac{5}{6}$　　$\frac{10}{14} \bigcirc \frac{10}{15}$

$\frac{1}{2} \bigcirc \frac{5}{8}$　　$\frac{5}{11} \bigcirc \frac{1}{2}$　　$\frac{1}{2} \bigcirc \frac{8}{14}$

$\frac{5}{6} \bigcirc \frac{6}{7}$　　$\frac{12}{13} \bigcirc \frac{9}{10}$　　$\frac{2}{3} \bigcirc \frac{4}{5}$

$\frac{9}{17} \bigcirc \frac{1}{2}$　　$\frac{8}{14} \bigcirc \frac{8}{12}$　　$\frac{3}{10} \bigcirc \frac{4}{10}$

$\frac{6}{16} \bigcirc \frac{6}{17}$　　$\frac{1}{2} \bigcirc \frac{7}{15}$　　$\frac{8}{9} \bigcirc \frac{10}{11}$

1 이웃한 두 분수의 크기를 비교하여 더 큰 분수를 위쪽의 □ 안에 쓰세요.

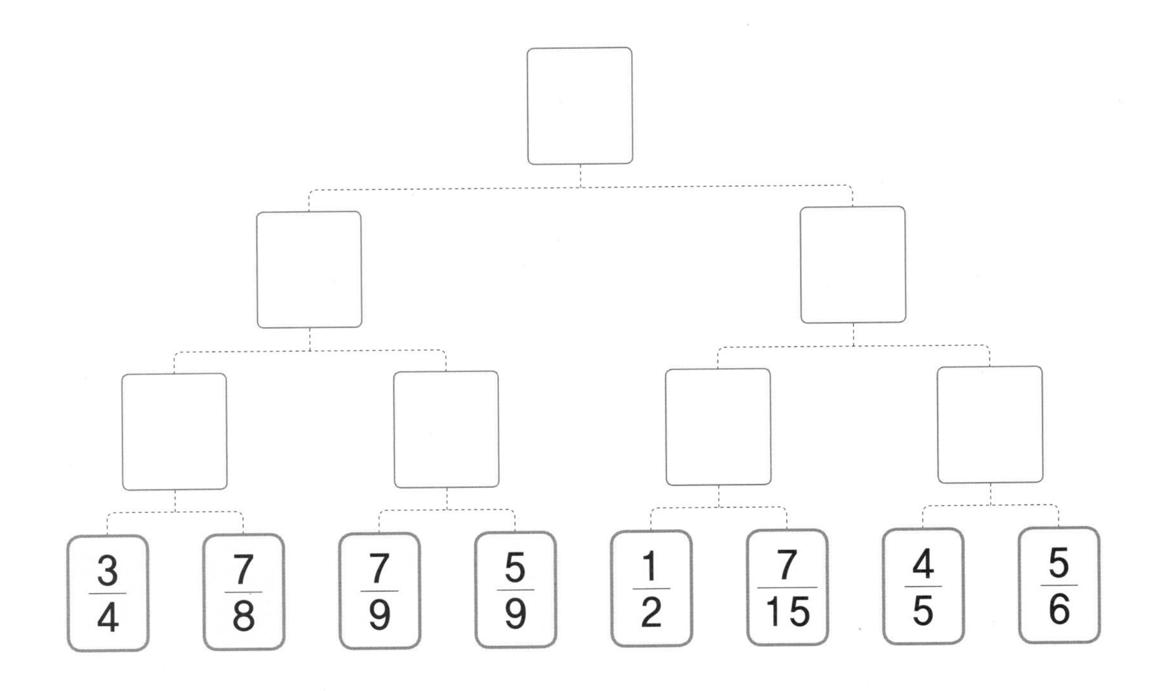

2 왼쪽 분수보다 크고 오른쪽 분수보다 작은 분수에 모두 ○표 하세요.

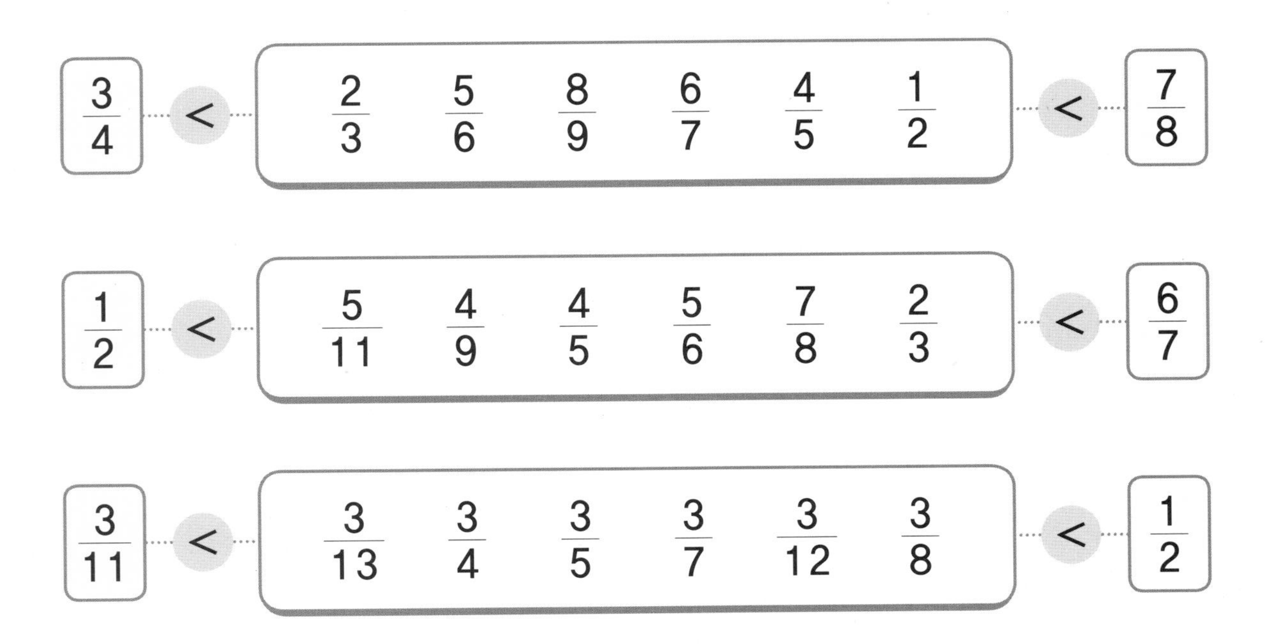

3 분수의 크기를 비교하여 ○ 안에 < 또는 >를 쓰고 알맞은 말에 ○표 하세요.

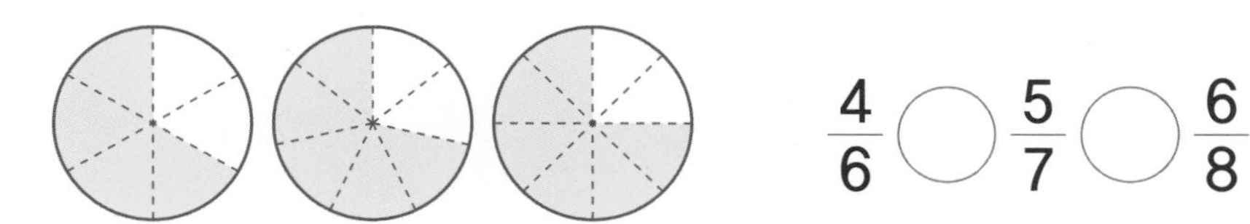

분모와 분자의 차가 같은 진분수의 크기는 분모가 (클수록 , 작을수록) 큽니다.

4 수 카드로 만들 수 있는 진분수를 큰 수부터 차례로 모두 쓰세요.

5 7 9

______________________ ______________________

5 다음 중 잘못 말한 친구를 모두 찾아 이름을 쓰세요.

분모의 크기가 같을 때는 분자의 크기가 작은 분수가 더 큰 분수야.

슬기

분자의 크기가 같을 때는 분모의 크기가 작은 분수가 더 큰 분수야.

정호

분자를 2배 한 수가 분모보다 작으면 그 분수는 $\frac{1}{2}$보다 작아.

민주

분모와 분자의 차가 같은 진분수는 분모의 크기가 작은 분수가 더 큰 분수야.

준희

____

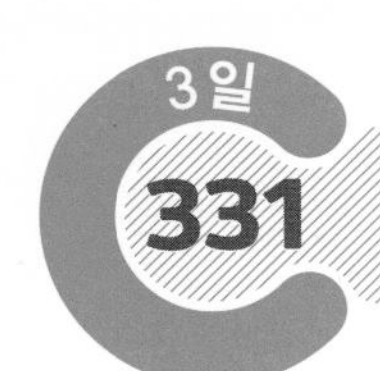

크기가 같은 분수로 크기 비교

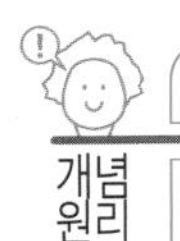

크기가 같은 분수를 이용하여 분수의 크기를 비교하여 봅시다.

$(\frac{2}{3}, \frac{5}{6}) \Rightarrow (\frac{\boxed{4}}{6}, \frac{\boxed{5}}{6}) \Rightarrow \frac{2}{3} < \frac{5}{6}$ 분모가 같도록 $\frac{2}{3}$를 $\frac{4}{6}$로 고친 후 분수의 크기를 비교합니다.

$(\frac{2}{5}, \frac{4}{11}) \Rightarrow (\frac{4}{\boxed{10}}, \frac{4}{\boxed{11}}) \Rightarrow \frac{2}{5} > \frac{4}{11}$ 분자가 같도록 $\frac{2}{5}$를 $\frac{4}{10}$로 고친 후 분수의 크기를 비교합니다.

$(\frac{5}{7}, \frac{11}{15}) \Rightarrow (\frac{\boxed{10}}{\boxed{14}}, \frac{11}{15}) \Rightarrow \frac{5}{7} < \frac{11}{15}$ 분모, 분자의 차가 같도록 $\frac{5}{7}$를 $\frac{10}{14}$으로 고친 후 분수의 크기를 비교합니다.

$(\frac{4}{7}, \frac{9}{14}) \Rightarrow (\frac{\square}{14}, \frac{\square}{14}) \Rightarrow \frac{4}{7} \bigcirc \frac{9}{14}$

$(\frac{5}{12}, \frac{2}{3}) \Rightarrow (\frac{\square}{12}, \frac{\square}{12}) \Rightarrow \frac{5}{12} \bigcirc \frac{2}{3}$

$(\frac{3}{4}, \frac{9}{11}) \Rightarrow (\frac{9}{\square}, \frac{9}{\square}) \Rightarrow \frac{3}{4} \bigcirc \frac{9}{11}$

$(\frac{8}{9}, \frac{22}{25}) \Rightarrow (\frac{\square}{\square}, \frac{22}{25}) \Rightarrow \frac{8}{9} \bigcirc \frac{22}{25}$

$\frac{7}{10} \bigcirc \frac{4}{5}$ $\frac{4}{7} \bigcirc \frac{11}{21}$ $\frac{4}{6} \bigcirc \frac{9}{12}$

$\frac{2}{5} \bigcirc \frac{6}{11}$ $\frac{5}{7} \bigcirc \frac{10}{13}$ $\frac{9}{14} \bigcirc \frac{3}{5}$

$\frac{3}{4} \bigcirc \frac{10}{13}$ $\frac{10}{14} \bigcirc \frac{3}{5}$ $\frac{2}{7} \bigcirc \frac{3}{13}$

$\frac{1}{5} \bigcirc \frac{2}{15}$ $\frac{3}{6} \bigcirc \frac{7}{12}$ $\frac{2}{9} \bigcirc \frac{1}{3}$

$\frac{6}{14} \bigcirc \frac{2}{5}$ $\frac{6}{8} \bigcirc \frac{12}{15}$ $\frac{7}{9} \bigcirc \frac{21}{28}$

$\frac{5}{8} \bigcirc \frac{14}{20}$ $\frac{7}{16} \bigcirc \frac{2}{5}$ $\frac{3}{7} \bigcirc \frac{7}{14}$

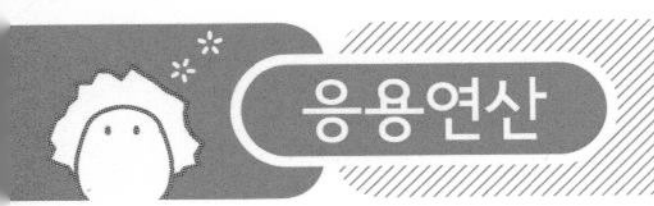

1 이웃한 두 분수의 크기를 비교하여 더 큰 분수를 위쪽의 □ 안에 쓰세요.

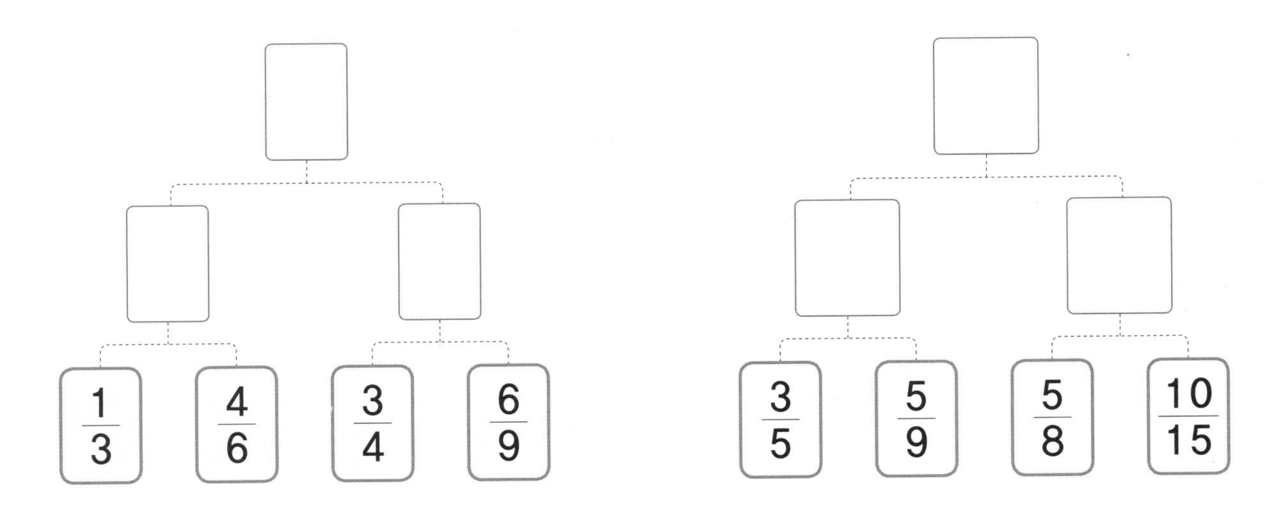

2 세 분수의 크기를 비교하여 □ 안에 알맞은 분수를 쓰세요.

$\left(\frac{3}{7}, \frac{8}{21}, \frac{10}{14}\right)$ ➡ □ $<$ □ $<$ □

$\left(\frac{10}{17}, \frac{15}{28}, \frac{5}{9}\right)$ ➡ □ $<$ □ $<$ □

$\left(\frac{11}{15}, \frac{5}{7}, \frac{8}{10}\right)$ ➡ □ $<$ □ $<$ □

3 1부터 9까지의 수 중 □ 안에 알맞은 수를 모두 쓰세요.

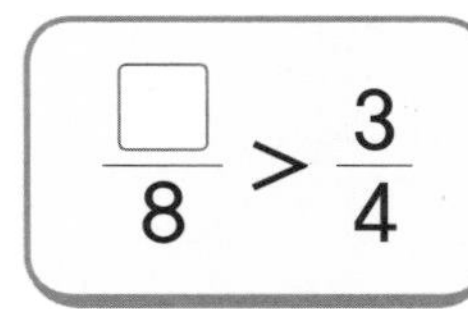

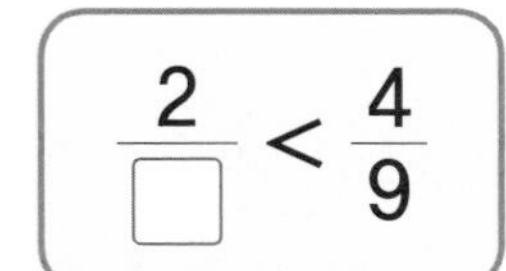

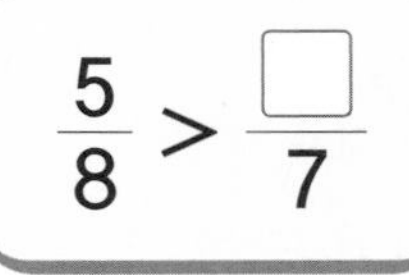

4 조건에 맞는 분수를 쓰고, 크기를 비교하여 ◯ 안에 >, =, <를 알맞게 쓰세요.

- 진분수입니다.
- 분모와 분자의 합은 12, 차는 2입니다.

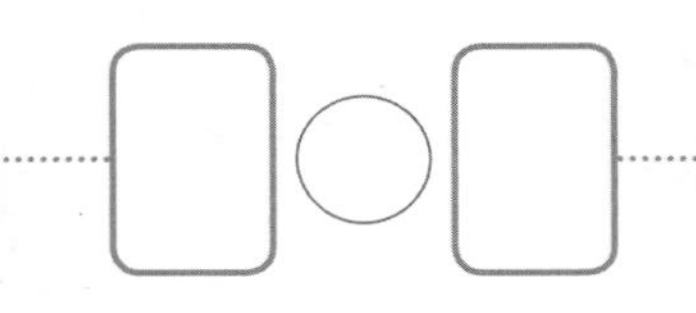

- 분모가 분자보다 1 큽니다.
- 분모와 분자의 합이 5보다 크고 9보다 작습니다.

5 크기가 같은 물통 가, 나, 다에 다음과 같이 물이 들어 있습니다. 물이 많이 있는 것부터 차례로 기호를 쓰세요.

가

나

다

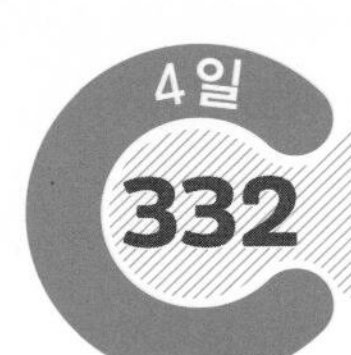

분수의 2배와 반

분수의 2배와 반을 알아봅시다.

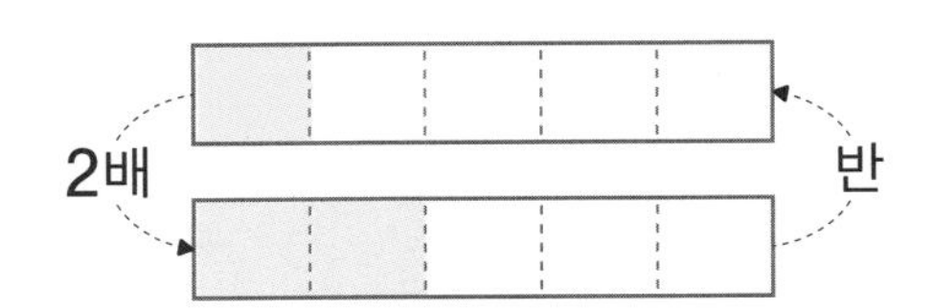

$\frac{1}{5}$ 의 2배는 $\frac{\boxed{2}}{5}$ 이고,

$\frac{2}{5}$ 의 반은 $\frac{\boxed{1}}{5}$ 입니다.

분수의 2배는 분모는 그대로 두고, 분자에 2를 곱합니다.

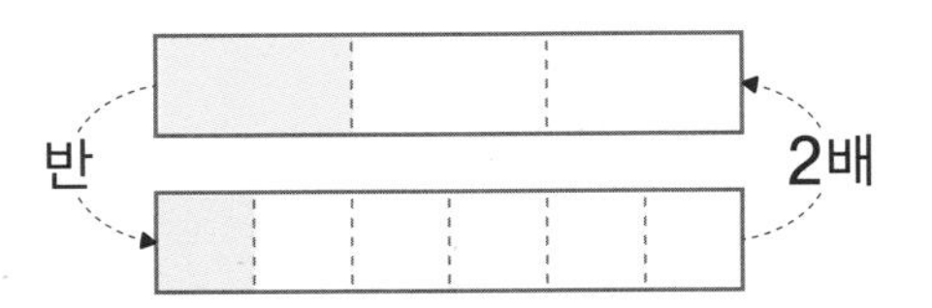

$\frac{1}{3}$ 의 반은 $\frac{1}{\boxed{6}}$ 이고,

$\frac{1}{6}$ 의 2배는 $\frac{1}{\boxed{3}}$ 입니다.

분수의 반은 분자는 그대로 두고, 분모에 2를 곱합니다.

$\frac{1}{3}$ 의 2배는 $\frac{\square}{3}$ 이고,

$\frac{2}{3}$ 의 반은 $\frac{\square}{3}$ 입니다.

$\frac{3}{5}$ 의 반은 $\frac{3}{\square}$ 이고,

$\frac{3}{10}$ 의 2배는 $\frac{3}{\square}$ 입니다.

$\frac{2}{9}$ 의 2배는 $\frac{\square}{9}$ 이고,

$\frac{4}{9}$ 의 반은 $\frac{\square}{9}$ 입니다.

$\frac{5}{7}$ 의 반은 $\frac{5}{\square}$ 이고,

$\frac{5}{14}$ 의 2배는 $\frac{5}{\square}$ 입니다.

$\frac{2}{5} \xrightarrow{\text{2배}} \frac{\square}{5}$　　$\frac{2}{7} \xrightarrow{\text{2배}} \frac{\square}{7}$　　$\frac{3}{9} \xrightarrow{\text{2배}} \frac{\square}{9}$

$\frac{1}{10} \xrightarrow{\text{2배}} \frac{\square}{10}$　　$\frac{5}{11} \xrightarrow{\text{2배}} \frac{\square}{11}$　　$\frac{4}{12} \xrightarrow{\text{2배}} \frac{\square}{12}$

$\frac{3}{5} \xrightarrow{\text{반}} \frac{3}{\square}$　　$\frac{1}{4} \xrightarrow{\text{반}} \frac{1}{\square}$　　$\frac{5}{6} \xrightarrow{\text{반}} \frac{5}{\square}$

$\frac{5}{9} \xrightarrow{\text{반}} \frac{5}{\square}$　　$\frac{3}{8} \xrightarrow{\text{반}} \frac{3}{\square}$　　$\frac{4}{7} \xrightarrow{\text{반}} \frac{4}{\square}$

$\frac{1}{6} \xrightarrow{\text{2배}} \frac{\square}{6} = \frac{1}{\square}$　　$\frac{3}{8} \xrightarrow{\text{2배}} \frac{\square}{8} = \frac{3}{\square}$

$\frac{2}{5} \xrightarrow{\text{반}} \frac{2}{\square} = \frac{\square}{5}$　　$\frac{6}{7} \xrightarrow{\text{반}} \frac{6}{\square} = \frac{\square}{7}$

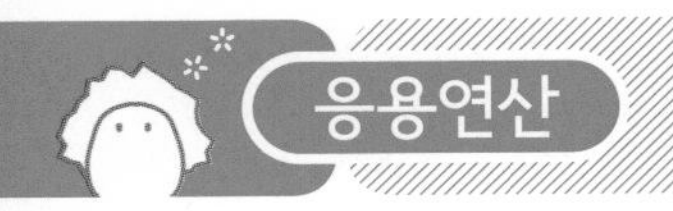

1 분수의 2배와 반을 쓰세요.

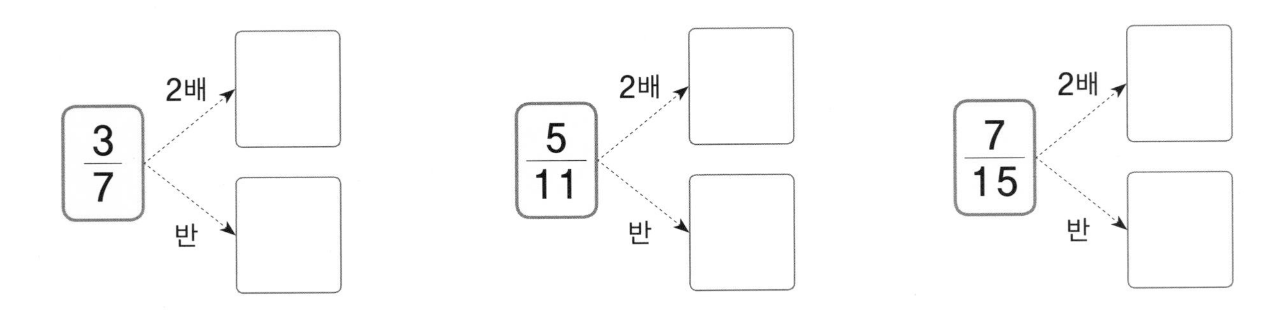

2 바르게 계산하세요.

어떤 분수를 2배 할 것을 잘못하여 반을 하였더니 $\frac{5}{30}$가 되었습니다.
바르게 계산하면 얼마일까요?

어떤 분수를 반으로 할 것을 잘못하여 2배를 하였더니 $\frac{6}{9}$이 되었습니다.
바르게 계산하면 얼마일까요?

3 □ 안에 알맞은 분수를 쓰세요.

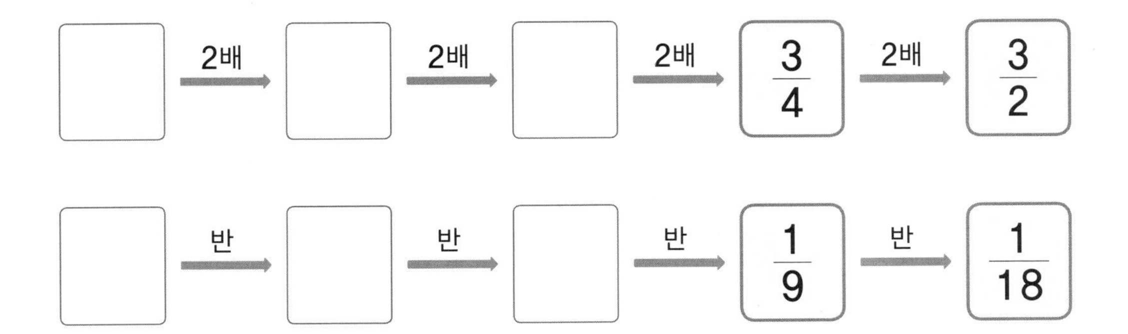

4 다음은 넓이가 1 인 정사각형을 여러 번 반으로 나눈 것입니다. □ 안에 가, 나, 다, 라의 넓이를 쓰세요.

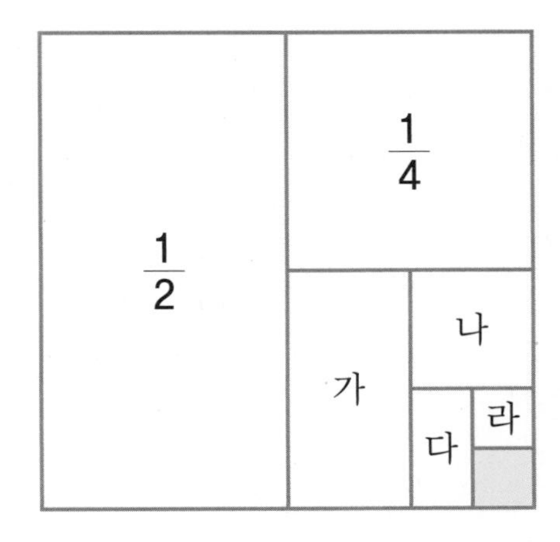

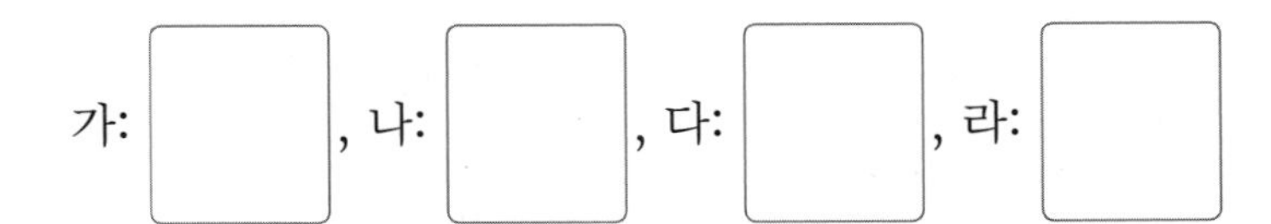

5 길이가 $\frac{3}{10}$ m인 리본 2개를 겹치는 부분이 없이 이어 붙였습니다. 이어 붙인 리본의 길이를 구하세요.

_______ m

6 연꽃이 연못 전체 넓이의 $\frac{1}{16}$ 만큼 채워져 있습니다. 연꽃이 매일 2배씩 불어난다고 할 때, 연꽃은 연못을 며칠째에 가득 채울까요?

_______ 일

형성평가

1 ◯ 안의 분수와 크기가 같은 분수에 모두 ◯표 하세요.

$3\frac{18}{36}$ ······ $3\frac{4}{6}$ $3\frac{1}{2}$ $3\frac{2}{3}$ $3\frac{6}{18}$ $3\frac{6}{12}$ $3\frac{8}{14}$

2 $\frac{3}{4}$과 크기가 같은 분수 중 분자와 분모의 합이 42인 분수를 쓰세요.

3 이웃한 두 분수의 크기를 비교하여 더 큰 분수를 위쪽의 □ 안에 쓰세요.

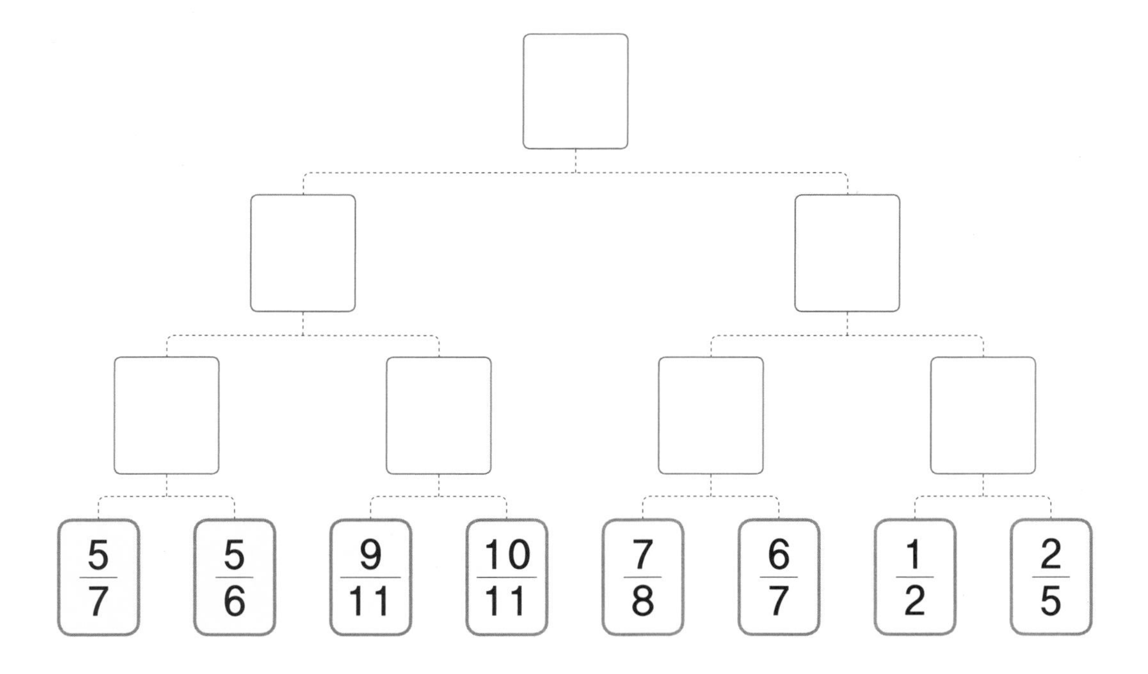

4 왼쪽 분수보다 크고 오른쪽 분수보다 작은 분수에 모두 ◯표 하세요.

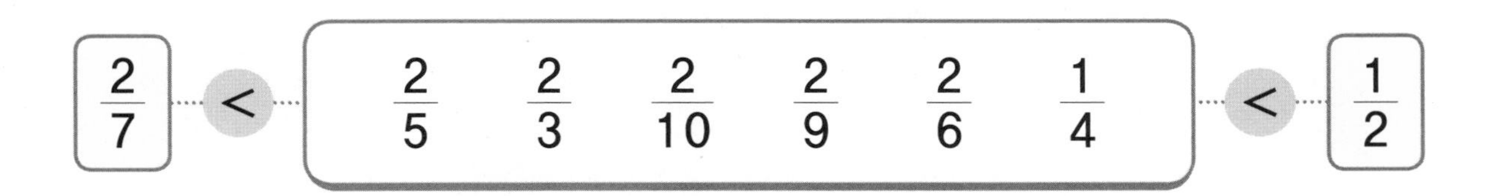

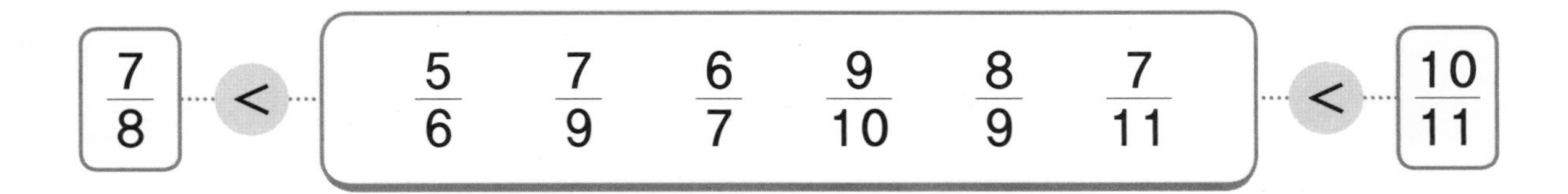

5 분수의 크기를 비교하여 ◯ 안에 < 또는 >를 쓰고 알맞은 말에 ◯표 하세요.

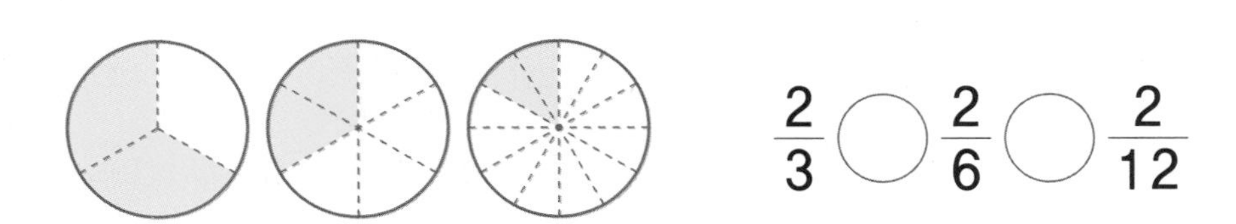

분자가 같은 분수는 분모가 (작을수록 , 클수록) 큽니다.

6 수 카드로 만들 수 있는 진분수를 작은 수부터 차례로 모두 쓰세요.

3	4	6

____

7 조건에 맞는 분수를 쓰고, 크기를 비교하여 ○ 안에 >, =, <를 알맞게 쓰세요.

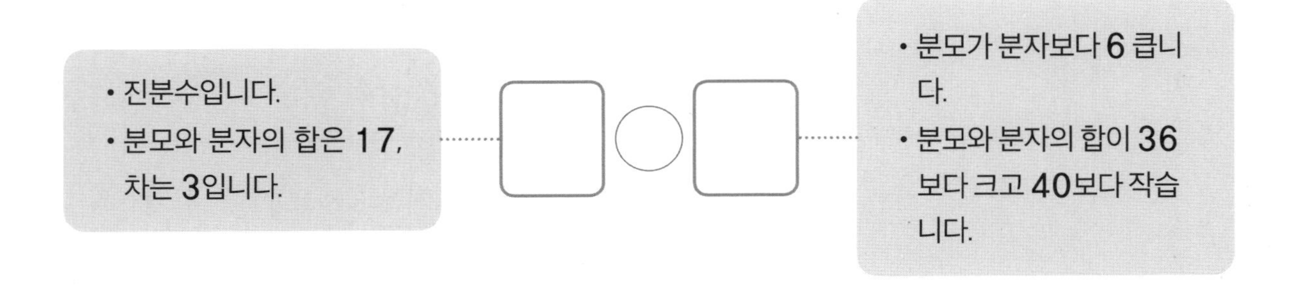

8 주어진 분수의 2배와 반을 쓰세요.

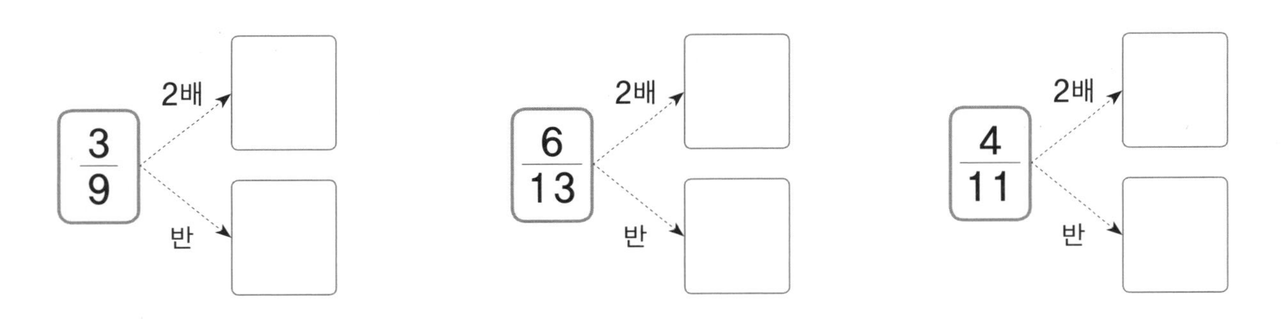

9 □ 안에 알맞은 분수를 쓰세요.

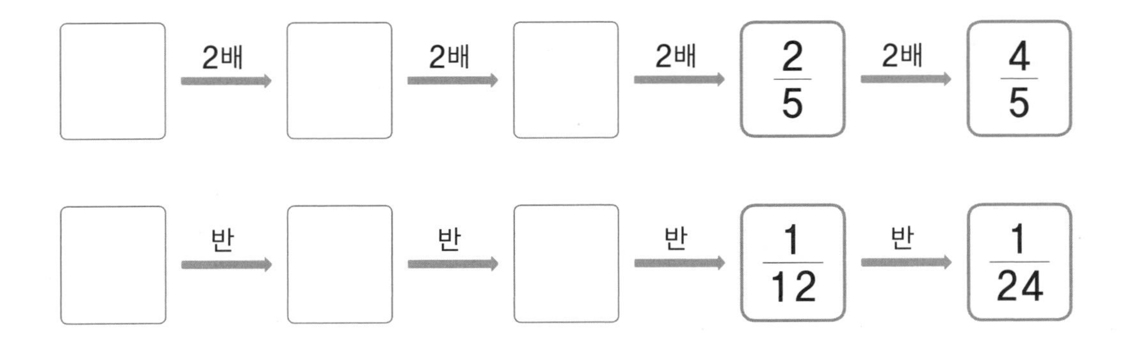

시간과 분수, 분모가 다른 분수

분수로 나타낸 시간과 분모가 다른 분수의 덧셈, 뺄셈

1일 333 • 시간과 분수 (1) 66

2일 334 • 시간과 분수 (2) 70

3일 335 • 분모가 다른 분수의 덧셈 74

4일 336 • 분모가 다른 분수의 뺄셈 78

5일 형성평가 82

시간과 분수 (1)

분수로 나타낸 시간을 알아봅시다.

- 1 시간은 60분입니다.
- 60의 $\frac{1}{3}$ 은 [20] 입니다.
- $\frac{1}{3}$ 시간은 [20] 분입니다.

60의 $\frac{1}{3}$ 은 60을 3으로 나눈 몫과 같으므로

$\frac{1}{3}$ 시간은 $60 \div 3 = 20$(분)입니다.

- 1 일은 24시간입니다.
- 24의 $\frac{1}{4}$ 은 [6] 입니다.
- $\frac{1}{4}$ 일은 [6] 시간입니다.

24의 $\frac{1}{4}$ 은 24를 4로 나눈 몫과 같으므로

$\frac{1}{4}$ 일은 $24 \div 4 = 6$(시간)입니다.

- 1 분은 60초입니다.
- 60의 $\frac{1}{5}$ 은 [ ] 입니다.
- $\frac{1}{5}$ 분은 [ ] 초입니다.

- 1 년은 12개월입니다.
- 12의 $\frac{1}{6}$ 은 [ ] 입니다.
- $\frac{1}{6}$ 년은 [ ] 개월입니다.

- 1 시간은 60분입니다.
- 60의 $\frac{1}{4}$ 은 [ ] 입니다.
- $\frac{1}{4}$ 시간은 [ ] 분입니다.

- 1 일은 24시간입니다.
- 24의 $\frac{1}{3}$ 은 [ ] 입니다.
- $\frac{1}{3}$ 일은 [ ] 시간입니다.

- 1 분은 60초입니다.
- 60의 $\frac{1}{6}$ 은 [ ] 입니다.
- $\frac{1}{6}$ 분은 [ ] 초입니다.

- 1 년은 12개월입니다.
- 12의 $\frac{1}{2}$ 은 [ ] 입니다.
- $\frac{1}{2}$ 년은 [ ] 개월입니다.

$\frac{1}{2}$시간 = □ 분

$\frac{1}{6}$시간 = □ 분

$\frac{1}{20}$시간 = □ 분

$\frac{1}{12}$분 = □ 초

$\frac{1}{30}$분 = □ 초

$\frac{1}{10}$분 = □ 초

$\frac{1}{6}$일 = □ 시간

$\frac{1}{12}$일 = □ 시간

$\frac{1}{8}$일 = □ 시간

$\frac{1}{2}$년 = □ 개월

$\frac{1}{4}$년 = □ 개월

$\frac{1}{3}$년 = □ 개월

$\frac{1}{□}$시간 = 15분

$\frac{1}{□}$분 = 20초

$\frac{1}{□}$시간 = 12분

$\frac{1}{□}$일 = 4시간

$\frac{1}{□}$년 = 6개월

$\frac{1}{□}$일 = 8시간

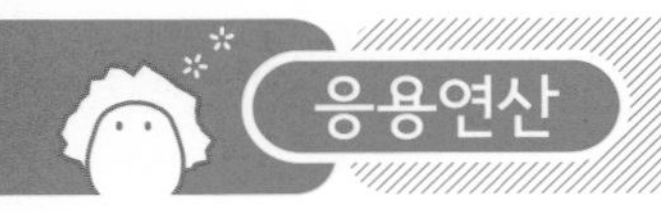

1 표의 빈칸에 알맞은 수를 쓰세요.

년	$\frac{1}{2}$	$\frac{1}{3}$	$\frac{1}{4}$	$\frac{1}{6}$
개월	6			

일	$\frac{1}{2}$	$\frac{1}{3}$	$\frac{1}{4}$	$\frac{1}{6}$	$\frac{1}{8}$	$\frac{1}{12}$
시간	12					

시간	$\frac{1}{2}$	$\frac{1}{3}$	$\frac{1}{4}$	$\frac{1}{5}$	$\frac{1}{6}$	$\frac{1}{10}$	$\frac{1}{12}$	$\frac{1}{15}$	$\frac{1}{20}$	$\frac{1}{30}$
분	30									

2 가장 긴 시간에 ◯표, 가장 짧은 시간에 △표 하세요.

$\frac{1}{3}$년 5개월 $\frac{1}{2}$년 7개월

$\frac{1}{12}$일 9시간 $\frac{1}{3}$일 4시간

$\frac{1}{5}$시간 9분 $\frac{1}{12}$시간 13분

$\frac{1}{20}$분 11초 $\frac{1}{6}$분 7초

3 다음은 승희의 방학 중 하루 계획입니다. 여가 활동을 하는 시간은 몇 시간일까요?

하루의 $\frac{1}{3}$은 잠을 자고, $\frac{1}{6}$은 공부를 하고, $\frac{1}{8}$은 밥을 먹습니다.
그리고 남은 시간은 여가 활동을 합니다.

______ 시간

4 시계의 시침이 한 바퀴 도는 데 걸리는 시간은 12시간입니다. 시침이 $\frac{1}{4}$바퀴를 도는 데 몇 시간이 걸릴까요?

______ 시간

5 지금 시각은 6시 정각입니다. 시계의 분침이 $\frac{1}{3}$바퀴 돌면 몇 시 몇 분이 될까요?

______ 시 ______ 분

6 은수가 할머니 댁에 가는 데 버스로 $\frac{1}{3}$시간, 지하철로 $\frac{1}{5}$시간, 걸어서 5분이 걸립니다. 할머니 댁에 가는 데 모두 몇 분이 걸렸을까요?

______ 분

시간과 분수 (2)

개념원리

분수로 나타낸 시간을 알아봅시다.

$\frac{1}{3}$ 시간은 [20] 분입니다.

$\frac{2}{3}$ 시간은 [40] 분입니다.

$\frac{2}{3}$는 $\frac{1}{3}$이 2개인 것과 같으므로

$\frac{2}{3}$ 시간은 $20+20=40$(분)입니다.

$\frac{1}{4}$ 일은 [6] 시간입니다.

$1\frac{1}{4}$ 일은 [30] 시간입니다.

1일은 24시간이고 $\frac{1}{4}$ 일은 6시간이므로

$1\frac{1}{4}$ 일은 $24+6=30$(시간)입니다.

$\frac{1}{6}$ 분은 [ ] 초입니다.

$\frac{5}{6}$ 분은 [ ] 초입니다.

$\frac{1}{3}$ 년은 [ ] 개월입니다.

$1\frac{1}{3}$ 년은 [ ] 개월입니다.

$\frac{1}{5}$ 시간은 [ ] 분입니다.

$\frac{4}{5}$ 시간은 [ ] 분입니다.

$\frac{1}{6}$ 일은 [ ] 시간입니다.

$2\frac{1}{6}$ 일은 [ ] 시간입니다.

$\frac{1}{4}$ 시간은 [ ] 분입니다.

$\frac{2}{4}$ 시간은 [ ] 분입니다.

$\frac{1}{8}$ 일은 [ ] 시간입니다.

$1\frac{1}{8}$ 일은 [ ] 시간입니다.

$\frac{3}{4}$시간 = ☐ 분

$\frac{7}{10}$시간 = ☐ 분

$\frac{7}{15}$시간 = ☐ 분

$\frac{3}{20}$분 = ☐ 초

$\frac{9}{10}$분 = ☐ 초

$\frac{2}{5}$분 = ☐ 초

$\frac{3}{8}$일 = ☐ 시간

$\frac{7}{12}$일 = ☐ 시간

$\frac{5}{12}$시간 = ☐ 분

$\frac{2}{4}$년 = ☐ 개월

$\frac{5}{6}$년 = ☐ 개월

$\frac{2}{3}$년 = ☐ 개월

$1\frac{1}{30}$시간 = ☐ 분

$1\frac{1}{10}$분 = ☐ 초

$1\frac{4}{5}$시간 = ☐ 분

$1\frac{1}{8}$일 = ☐ 시간

$1\frac{1}{2}$년 = ☐ 개월

$2\frac{7}{12}$일 = ☐ 시간

1 관계있는 것끼리 선으로 이으세요.

$\frac{1}{6}$일	8시간	$1\frac{1}{4}$년	25개월
$\frac{1}{12}$일	4시간	$2\frac{1}{12}$년	22개월
$\frac{1}{3}$일	2시간	$1\frac{5}{6}$년	15개월

25분	$\frac{11}{15}$시간	105초	$1\frac{2}{3}$분
44분	$\frac{5}{12}$시간	138초	$2\frac{3}{10}$분
45분	$\frac{3}{4}$시간	100초	$1\frac{3}{4}$분

2 □ 안에 알맞은 분수를 쓰세요.

7개월은 □ 년입니다.

51시간은 □ 일입니다.

65분은 □ 시간입니다.

72초는 □ 분입니다.

3 왼쪽 시간보다 길고, 오른쪽 시간보다 짧은 시간에 모두 ○표 하세요.

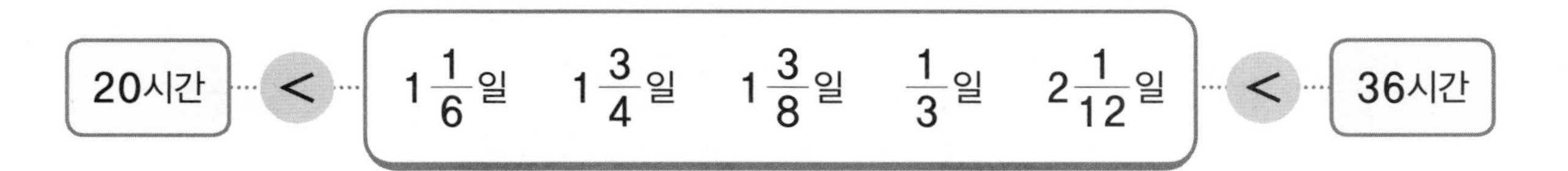

48분 < $\frac{4}{5}$시간 $1\frac{1}{4}$시간 $\frac{11}{12}$시간 $1\frac{1}{3}$시간 $\frac{5}{6}$시간 < 80분

4 형수는 동물원에 가는 데 버스를 $\frac{2}{3}$시간 탔고, 전철을 $\frac{3}{4}$시간 탔습니다. 형수가 버스와 전철을 탄 시간은 모두 몇 시간 몇 분일까요?

______ 시간 ______ 분

5 승호는 독서를 시작하여 처음 $1\frac{2}{3}$시간 동안 책을 읽고, 20분을 쉬었습니다. 다시 읽기 시작하여 $1\frac{2}{5}$시간 뒤에 책 한 권을 모두 읽었습니다. 책을 모두 읽는 데 걸린 시간은 몇 시간 몇 분일까요?

______ 시간 ______ 분

분모가 다른 분수의 덧셈

크기가 같은 분수를 이용하여 분모가 다른 분수의 덧셈 방법을 알아봅시다.

$$\frac{4}{9}+\frac{2}{3}=\frac{4}{9}+\frac{\boxed{6}}{9}=\frac{\boxed{10}}{\boxed{9}}=\boxed{1}\frac{\boxed{1}}{\boxed{9}}$$

$$3\frac{1}{2}+1\frac{3}{4}=3\frac{\boxed{2}}{4}+1\frac{3}{4}=4+\frac{\boxed{5}}{4}=\boxed{5}\frac{\boxed{1}}{\boxed{4}}$$

크기가 같은 분수를 이용하여 분모를 같게 만든 후 분수의 덧셈을 합니다. $\left(\frac{4}{9}, \frac{2}{3}\right) \rightarrow \left(\frac{4}{9}, \frac{6}{9}\right)$

$$\frac{1}{2}+\frac{5}{6}=\frac{\square}{6}+\frac{5}{6}=\frac{\square}{\square}=\square\frac{\square}{\square}$$

$$\frac{7}{8}+\frac{3}{4}=\frac{7}{8}+\frac{\square}{8}=\frac{\square}{\square}=\square\frac{\square}{\square}$$

$$1\frac{1}{8}+2\frac{1}{2}=1\frac{1}{8}+2\frac{\square}{8}=3+\frac{\square}{8}=\square\frac{\square}{\square}$$

$$2\frac{4}{5}+3\frac{9}{10}=2\frac{\square}{10}+3\frac{9}{10}=5+\frac{\square}{10}=\square\frac{\square}{\square}$$

$\frac{1}{2}+\frac{1}{4}$

$\frac{1}{12}+\frac{5}{6}$

두 분수의 계산 결과가 가분수이면 대분수로 나타내세요.

$\frac{2}{5}+\frac{7}{10}$

$\frac{11}{14}+\frac{6}{7}$

$\frac{3}{4}+\frac{9}{16}$

$3\frac{1}{9}+\frac{1}{3}$

$\frac{1}{8}+1\frac{3}{4}$

$2\frac{2}{3}+\frac{1}{6}$

$2\frac{11}{15}+\frac{4}{5}$

$\frac{5}{12}+4\frac{2}{3}$

$3\frac{17}{21}+\frac{3}{7}$

$4\frac{3}{18}+3\frac{2}{9}$

$2\frac{11}{24}+2\frac{3}{6}$

$1\frac{3}{15}+4\frac{2}{3}$

$2\frac{13}{22}+1\frac{9}{11}$

$3\frac{5}{6}+3\frac{7}{12}$

$2\frac{7}{8}+4\frac{13}{16}$

1 가로, 세로로 두 수의 합에 맞게 상자 안의 수를 빈칸에 쓰세요.

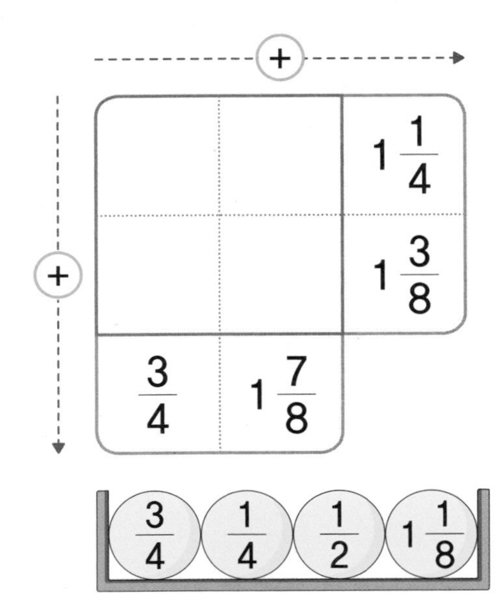

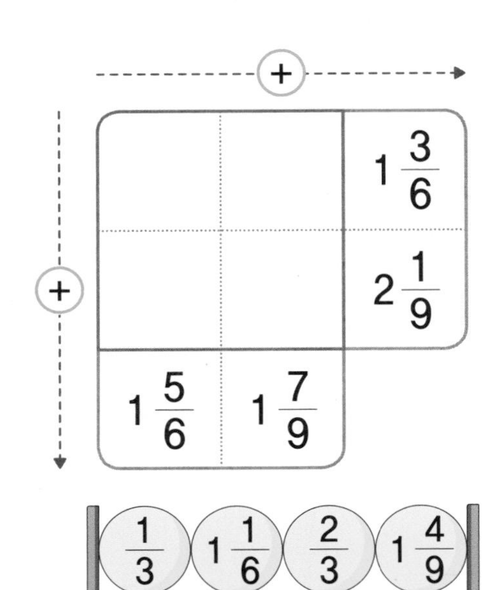

2 다음 중 두 수를 사용하여 식을 만들고 계산하세요.

$\frac{9}{10}$ $1\frac{1}{10}$ $\frac{3}{5}$ $3\frac{1}{2}$

합이 가장 큰 식: 식 ______ 답 ______

합이 가장 작은 식: 식 ______ 답 ______

3 주어진 수 카드로 만들 수 있는 가장 큰 대분수를 쓰고, 두 분수의 합을 구하세요.

9 5 8 가장 큰 대분수: ☐

3 2 1 가장 큰 대분수: ☐

두 분수의 합: ______

7 6 5 가장 큰 대분수: ☐

3 4 2 가장 큰 대분수: ☐

두 분수의 합: ______

4 케이크를 두 조각으로 나누었습니다. 한 조각의 무게는 $1\frac{14}{25}$ kg이고, 다른 한 조각은 $1\frac{3}{5}$ kg입니다. 처음 케이크의 무게는 몇 kg일까요?

식 ______ 답 ______ kg

5 $5\frac{4}{7}$ kg의 사과가 들어 있는 바구니에 $3\frac{15}{28}$ kg의 사과를 더 넣었습니다. 바구니에 담긴 사과는 모두 몇 kg일까요?

식 ______ 답 ______ kg

336 분모가 다른 분수의 뺄셈

크기가 같은 분수를 이용하여 분모가 다른 분수의 뺄셈 방법을 알아봅시다.

$$\frac{4}{5}-\frac{3}{10}=\frac{\boxed{8}}{10}-\frac{3}{10}=\frac{\boxed{5}}{\boxed{10}}$$

$$5\frac{1}{3}-2\frac{5}{6}=5\frac{2}{6}-2\frac{5}{6}=4\frac{\boxed{8}}{6}-2\frac{5}{6}=\boxed{2}\frac{\boxed{3}}{\boxed{6}}$$

크기가 같은 분수를 이용하여 분모를 같게 만든 후 분수의 뺄셈을 합니다. $(\frac{4}{5}, \frac{3}{10}) \rightarrow (\frac{8}{10}, \frac{3}{10})$

$$\frac{9}{14}-\frac{2}{7}=\frac{9}{14}-\frac{\square}{14}=\frac{\square}{\square}$$

$$\frac{2}{3}-\frac{2}{9}=\frac{\square}{9}-\frac{2}{9}=\frac{\square}{\square}$$

$$4\frac{1}{2}-1\frac{5}{8}=4\frac{4}{8}-1\frac{5}{8}=3\frac{\square}{8}-1\frac{5}{8}=\square\frac{\square}{\square}$$

$$6\frac{5}{12}-2\frac{5}{6}=6\frac{5}{12}-2\frac{10}{12}=5\frac{\square}{12}-2\frac{10}{12}=\square\frac{\square}{\square}$$

$\frac{2}{3}-\frac{1}{12}$

$\frac{19}{20}-\frac{2}{5}$

$\frac{4}{21}-\frac{1}{7}$

$\frac{3}{4}-\frac{1}{2}$

$\frac{3}{5}-\frac{2}{15}$

$\frac{4}{9}-\frac{1}{3}$

$2\frac{9}{22}-\frac{3}{11}$

$4\frac{4}{7}-\frac{3}{14}$

$5\frac{3}{4}-\frac{7}{16}$

$3\frac{4}{9}-\frac{19}{27}$

$5\frac{11}{20}-1\frac{9}{10}$

$2\frac{3}{8}-\frac{9}{16}$

$11\frac{6}{7}-7\frac{23}{28}$

$5\frac{17}{19}-3\frac{3}{38}$

$9\frac{15}{32}-2\frac{3}{8}$

$9\frac{1}{2}-4\frac{3}{4}$

$8\frac{13}{27}-1\frac{2}{3}$

$3\frac{1}{2}-1\frac{19}{20}$

1 관계있는 것끼리 선으로 이으세요.

$\frac{4}{5}-\frac{1}{15}$	$\frac{7}{15}$	$4\frac{1}{2}-1\frac{3}{4}$	$1\frac{3}{4}$
$\frac{14}{15}-\frac{2}{5}$	$\frac{8}{15}$	$2\frac{1}{4}-\frac{1}{2}$	$3\frac{1}{4}$
$\frac{3}{5}-\frac{2}{15}$	$\frac{11}{15}$	$5\frac{3}{4}-2\frac{1}{2}$	$2\frac{3}{4}$

2 상자 안의 수를 한 번씩 모두 사용하여 분수의 뺄셈식을 완성하세요.

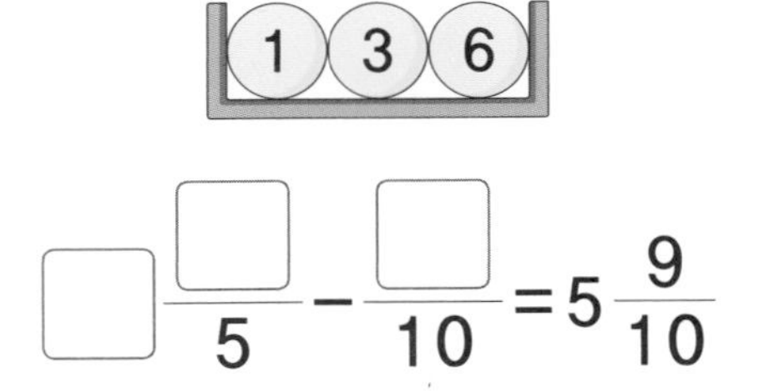

4 7 1

$\square\frac{\square}{9}-\frac{\square}{3}=4\frac{4}{9}$

2 3 5

$7\frac{\square}{12}-\square\frac{\square}{6}=4\frac{1}{12}$

3 1 2

$5\frac{\square}{8}-\square\frac{\square}{4}=2\frac{3}{8}$

3 수 카드 3장을 모두 사용하여 만들 수 있는 가장 큰 대분수와 가장 작은 대분수를 쓰고, 두 분수의 차를 구하세요.

3 4 8

가장 큰 대분수: ☐ 가장 작은 대분수: ☐

두 분수의 차: ____________

3 9 2

가장 큰 대분수: ☐ 가장 작은 대분수: ☐

두 분수의 차: ____________

4 어떤 수에서 $\frac{3}{4}$ 을 빼야 할 것을 잘못하여 더했더니 $3\frac{3}{8}$ 이 되었습니다. 바르게 계산하면 얼마일까요?

잘못된 식: 식 ____________ 어떤 수: ____________

바르게 계산하기: 식 ____________ 답 ____________

5 지혜가 찌개를 끓이는데 설탕은 $3\frac{3}{4}$ g, 소금은 $2\frac{15}{16}$ g을 사용했습니다. 설탕과 소금 중 어떤 것을 얼마나 더 사용했는지 구하세요.

____________, ____________ g

5일

형성평가

1 가장 긴 시간에 ◯표, 가장 짧은 시간에 △표 하세요.

$\frac{1}{4}$시간	16분	$\frac{1}{12}$시간	6분

$\frac{1}{12}$년	3개월	$\frac{1}{6}$년	4개월

2 형준이의 방학 중 하루 계획입니다. 여가 활동을 하는 시간은 몇 시간일까요?

> 하루의 $\frac{1}{4}$은 잠을 자고, $\frac{1}{3}$은 공부를 하고, $\frac{1}{12}$은 밥을 먹습니다.
> 그리고 남은 시간은 여가 활동을 합니다.

______ 시간

3 □ 안에 알맞은 분수를 쓰세요.

30시간은 □ 일입니다.

132분은 □ 시간입니다.

23개월은 □ 년입니다.

90초는 □ 분입니다.

4 왼쪽 시간보다 길고, 오른쪽 시간보다 짧은 시간에 모두 ○표 하세요.

10개월 < $\frac{11}{12}$년 $1\frac{1}{3}$년 $\frac{5}{6}$년 $1\frac{1}{6}$년 $2\frac{1}{12}$년 < 15개월

64초 < $\frac{11}{12}$분 $1\frac{1}{12}$분 $2\frac{1}{20}$분 $2\frac{1}{30}$분 $1\frac{1}{4}$분 < 122초

5 가로, 세로로 두 수의 합에 맞게 상자 안의 수를 빈칸에 쓰세요.

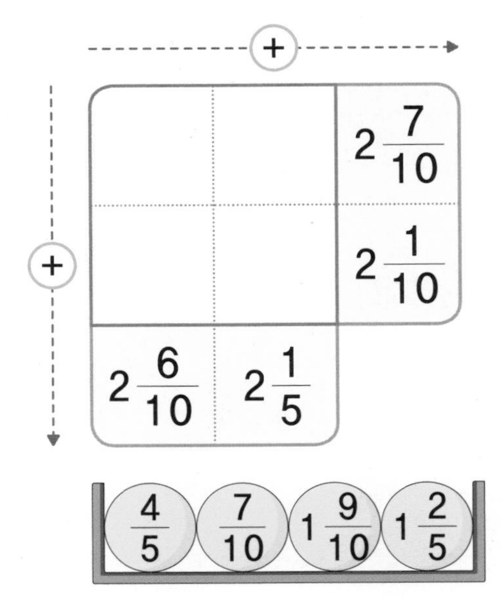

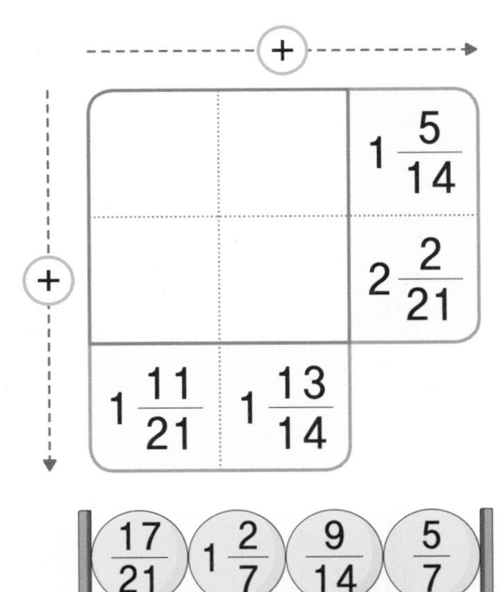

6 주어진 수 카드로 만들 수 있는 가장 큰 대분수를 쓰고, 두 분수의 합을 구하세요.

7 5 6

가장 큰 대분수: □

4 3 1

가장 큰 대분수: □

두 분수의 합: ________

7 관계있는 것끼리 선으로 이으세요.

$\frac{9}{14}-\frac{2}{7}$	$\frac{3}{14}$
$\frac{6}{7}-\frac{3}{14}$	$\frac{5}{14}$
$\frac{13}{14}-\frac{5}{7}$	$\frac{9}{14}$

$4\frac{1}{5}-1\frac{7}{15}$	$2\frac{8}{15}$
$3\frac{4}{15}-\frac{4}{5}$	$2\frac{7}{15}$
$3\frac{14}{15}-1\frac{2}{5}$	$2\frac{11}{15}$

8 어떤 수에서 $\frac{8}{9}$을 빼야 할 것을 잘못하여 더했더니 $5\frac{2}{3}$가 되었습니다. 바르게 계산하면 얼마일까요?

잘못된 식: 식 ________ 어떤 수: ________

바르게 계산하기: 식 ________ 답 ________

상위권으로 가는 문제 해결 연산 학습지

D1
초4 ~ 초5

분수

D1
분수
초4 ~ 초5
정답 및 길잡이

분수의 덧셈, 뺄셈

6·7쪽

1일 321 진분수, 가분수의 덧셈, 뺄셈

개념원리 분모가 같은 분수의 덧셈과 뺄셈을 해 봅시다. 계산 결과가 가분수이면 대분수로 나타냅니다.

$\frac{8}{7}+\frac{4}{7}=\frac{8+4}{7}=\frac{12}{7}=1\frac{5}{7}$

$\frac{13}{5}-\frac{2}{5}=\frac{13-2}{5}=\frac{11}{5}=2\frac{1}{5}$

분모가 같은 분수의 덧셈과 뺄셈은 분모는 그대로 두고 분자끼리 계산합니다.

$\frac{4}{6}+\frac{1}{6}=\frac{5}{6}$ $\frac{7}{9}-\frac{4}{9}=\frac{3}{9}$ $\frac{2}{13}+\frac{7}{13}=\frac{9}{13}$

$\frac{12}{7}-\frac{8}{7}=\frac{4}{7}$ $\frac{4}{8}+\frac{3}{8}=\frac{7}{8}$ $\frac{4}{5}-\frac{3}{5}=\frac{1}{5}$

$\frac{3}{5}+\frac{6}{5}=\frac{9}{5}=1\frac{4}{5}$ $\frac{17}{9}-\frac{4}{9}=\frac{13}{9}=1\frac{4}{9}$

$\frac{3}{4}+\frac{8}{4}=\frac{11}{4}=2\frac{3}{4}$ $\frac{16}{7}-\frac{1}{7}=\frac{15}{7}=2\frac{1}{7}$

$\frac{1}{4}+\frac{2}{4}=\frac{3}{4}$ $\frac{2}{8}+\frac{5}{8}=\frac{7}{8}$

$\frac{5}{3}-\frac{4}{3}=\frac{1}{3}$ $\frac{13}{7}-\frac{9}{7}=\frac{4}{7}$ $\frac{14}{9}-\frac{12}{9}=\frac{2}{9}$

$\frac{7}{6}+\frac{4}{6}=1\frac{5}{6}$ $\frac{4}{5}+\frac{3}{5}=1\frac{2}{5}$ $\frac{3}{4}+\frac{6}{4}=2\frac{1}{4}$

$\frac{13}{7}-\frac{2}{7}=1\frac{4}{7}$ $\frac{11}{3}-\frac{1}{3}=3\frac{1}{3}$ $\frac{18}{8}-\frac{7}{8}=1\frac{3}{8}$

$\frac{5}{9}+\frac{11}{9}=1\frac{7}{9}$ $\frac{4}{6}+\frac{9}{6}=2\frac{1}{6}$ $\frac{4}{2}+\frac{3}{2}=3\frac{1}{2}$

$\frac{17}{8}-\frac{4}{8}=1\frac{5}{8}$ $\frac{12}{4}-\frac{5}{4}=1\frac{3}{4}$ $\frac{15}{10}-\frac{2}{10}=1\frac{3}{10}$

6 응용연산 D1 · 1주: 분수의 덧셈, 뺄셈 7

8·9쪽

응용연산

1 빈칸에 알맞은 분수를 쓰세요.

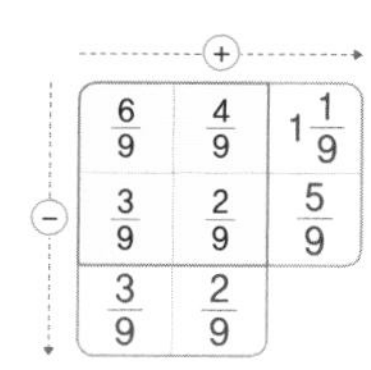

$\frac{6}{9}$	$\frac{4}{9}$	$1\frac{1}{9}$
$\frac{3}{9}$	$\frac{2}{9}$	$\frac{5}{9}$
$\frac{3}{9}$	$\frac{2}{9}$	

$\frac{5}{11}$	$\frac{4}{11}$	$\frac{9}{11}$
$\frac{3}{11}$	$\frac{1}{11}$	$\frac{4}{11}$
$\frac{2}{11}$	$\frac{3}{11}$	

2 다음 식의 계산 결과는 진분수입니다. □ 안에 들어갈 수 있는 수를 모두 쓰세요.

$\frac{5}{11}+\frac{□}{11}$: 1, 2, 3, 4, 5

$\frac{8}{7}-\frac{□}{7}$: 2, 3, 4, 5, 6, 7

3 □ 안에 들어갈 수 있는 수를 모두 쓰세요.

$\frac{5}{8}+\frac{□}{8}<1\frac{2}{8}$: 1, 2, 3, 4

$\frac{16}{5}-\frac{□}{5}>2\frac{1}{5}$: 1, 2, 3, 4

4 두 분수를 구하세요.

• 두 분수의 분모가 모두 7입니다.
• 두 분수의 합은 $\frac{5}{7}$, 차는 $\frac{1}{7}$입니다.

$\frac{3}{7}$, $\frac{2}{7}$

• 두 분수의 분모가 모두 8입니다.
• 두 분수의 합은 $1\frac{3}{8}$, 차는 $\frac{3}{8}$입니다.

$\frac{7}{8}$, $\frac{4}{8}$

5 어떤 수에서 $\frac{3}{11}$을 빼야 할 것을 잘못하여 더했더니 $1\frac{1}{11}$이 되었습니다. 바르게 계산하면 얼마일까요?

잘못된 식: 식 $□+\frac{3}{11}=1\frac{1}{11}$ 어떤 수: $\frac{9}{11}$

$□=1\frac{1}{11}-\frac{3}{11}=\frac{9}{11}$

바르게 계산하기: 식 $\frac{9}{11}-\frac{3}{11}=\frac{6}{11}$ 답 $\frac{6}{11}$

6 철사를 종현이는 $\frac{8}{9}$ m, 명수는 $\frac{3}{9}$ m 가지고 있습니다. 두 친구가 가진 철사 길이의 합과 차를 구하세요.

합: $1\frac{2}{9}$ m, 차: $\frac{5}{9}$ m

8 응용연산 D1 · 1주: 분수의 덧셈, 뺄셈 9

10·11쪽

2일 322 **대분수의 덧셈 (1)**

개념원리

분모가 같은 대분수의 덧셈을 알아봅시다.

$1\frac{2}{7}+\frac{3}{7}=1+(\frac{2}{7}+\frac{3}{7})=1+\frac{5}{7}=1\frac{5}{7}$

$3+1\frac{2}{6}=(3+1)+\frac{2}{6}=4+\frac{2}{6}=4\frac{2}{6}$

$2\frac{1}{10}+3\frac{4}{10}=(2+3)+(\frac{1}{10}+\frac{4}{10})=5+\frac{5}{10}=5\frac{5}{10}$

분모가 같은 대분수끼리의 덧셈은 자연수는 자연수끼리, 분수는 분수끼리 더합니다.

$1\frac{2}{4}+\frac{1}{4}=1+(\frac{2}{4}+\frac{1}{4})=1\frac{3}{4}$

$3\frac{4}{8}+4\frac{2}{8}=(3+4)+(\frac{4}{8}+\frac{2}{8})=7\frac{6}{8}$

$3\frac{2}{9}+1\frac{3}{9}=(3+1)+(\frac{2}{9}+\frac{3}{9})=4\frac{5}{9}$

$2\frac{3}{8}+\frac{4}{8}=2\frac{7}{8}$ $\quad\frac{2}{4}+3\frac{1}{4}=3\frac{3}{4}$ $\quad1\frac{3}{10}+\frac{2}{10}=1\frac{5}{10}$

$\frac{3}{5}+1\frac{1}{5}=1\frac{4}{5}$ $\quad2\frac{2}{6}+\frac{3}{6}=2\frac{5}{6}$ $\quad\frac{3}{7}+4\frac{3}{7}=4\frac{6}{7}$

$3\frac{1}{2}+2=5\frac{1}{2}$ $\quad3+4\frac{2}{3}=7\frac{2}{3}$ $\quad1\frac{3}{8}+2=3\frac{3}{8}$

$4+2\frac{3}{7}=6\frac{3}{7}$ $\quad5\frac{1}{4}+2=7\frac{1}{4}$ $\quad1+3\frac{4}{9}=4\frac{4}{9}$

$2\frac{3}{8}+1\frac{2}{8}=3\frac{5}{8}$ $\quad1\frac{2}{5}+3\frac{2}{5}=4\frac{4}{5}$ $\quad1\frac{4}{6}+1\frac{1}{6}=2\frac{5}{6}$

$4\frac{3}{9}+3\frac{4}{9}=7\frac{7}{9}$ $\quad6\frac{2}{11}+2\frac{2}{11}=8\frac{4}{11}$ $\quad3\frac{1}{4}+3\frac{2}{4}=6\frac{3}{4}$

12·13쪽

응용연산

1 분수의 덧셈에 맞게 빈칸에 알맞은 분수를 쓰세요.

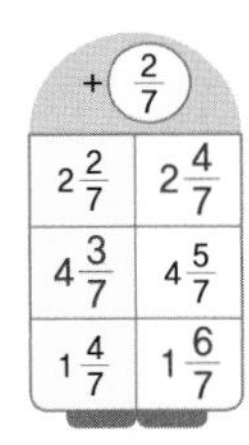

$+\frac{2}{7}$	
$2\frac{2}{7}$	$2\frac{4}{7}$
$4\frac{3}{7}$	$4\frac{5}{7}$
$1\frac{4}{7}$	$1\frac{6}{7}$

$+3$	
$2\frac{1}{8}$	$5\frac{1}{8}$
$3\frac{1}{2}$	$6\frac{1}{2}$
$4\frac{4}{5}$	$7\frac{4}{5}$

$+2\frac{2}{9}$	
$1\frac{2}{9}$	$3\frac{4}{9}$
$2\frac{5}{9}$	$4\frac{7}{9}$
$3\frac{6}{9}$	$5\frac{8}{9}$

2 다음 중 두 수를 사용하여 식을 만들고 계산하세요.

$\frac{7}{10}$ $\quad3\frac{1}{10}$ $\quad3$ $\quad2\frac{2}{10}$

합이 가장 큰 식: 식 $3\frac{1}{10}+3=6\frac{1}{10}$ 답 $6\frac{1}{10}$

합이 가장 작은 식: 식 $\frac{7}{10}+2\frac{2}{10}=2\frac{9}{10}$ 답 $2\frac{9}{10}$

더하는 두 수는 바뀌어도 정답입니다.

3 계산 결과의 크기를 비교하여 ○ 안에 >, =, <를 알맞게 넣으세요.

$2\frac{1}{5}+\frac{2}{5} < 2\frac{4}{5}$ $\qquad 2\frac{7}{9}+4 > 5\frac{8}{9}$

$4\frac{2}{6}+\frac{2}{6} < \frac{1}{6}+4\frac{4}{6}$ $\qquad 3\frac{2}{8}+4\frac{5}{8} = 6\frac{6}{8}+1\frac{1}{8}$

4 수 카드를 한 번씩 모두 사용하여 분모가 11인 가장 큰 대분수와 가장 작은 대분수를 만들고, 두 대분수의 합을 구하세요.

1 3 5 7

$7\frac{5}{11}+1\frac{3}{11}=8\frac{8}{11}$

5 미술 시간에 지혜는 찰흙 $2\frac{2}{7}$ kg을 만들기에 사용하였고, 민아는 $1\frac{3}{7}$ kg을 사용하였습니다. 지혜와 민아가 사용한 찰흙은 모두 몇 kg일까요?

식 $2\frac{2}{7}+1\frac{3}{7}=3\frac{5}{7}$ 답 $3\frac{5}{7}$ kg

14·15쪽

3일 323 **대분수의 뺄셈 (1)**

개념원리

분모가 같은 대분수의 뺄셈을 알아봅시다.

$1\frac{7}{8}-\frac{2}{8}=\boxed{1}+(\frac{\boxed{7}}{8}-\frac{\boxed{2}}{8})=\boxed{1}+\frac{\boxed{5}}{8}=\boxed{1}\frac{\boxed{5}}{\boxed{8}}$

$5\frac{3}{4}-2=(\boxed{5}-\boxed{2})+\frac{3}{4}=\boxed{3}+\frac{3}{4}=\boxed{3}\frac{\boxed{3}}{\boxed{4}}$

$7\frac{6}{7}-2\frac{2}{7}=(\boxed{7}-\boxed{2})+(\frac{\boxed{6}}{7}-\frac{\boxed{2}}{7})=\boxed{5}+\frac{\boxed{4}}{7}=\boxed{5}\frac{\boxed{4}}{\boxed{7}}$

분모가 같은 대분수끼리의 뺄셈은 자연수는 자연수끼리, 분수는 분수끼리 뺍니다.

$6\frac{1}{2}-3=(\boxed{6}-\boxed{3})+\frac{1}{2}=\boxed{3}\frac{\boxed{1}}{\boxed{2}}$

$8\frac{5}{6}-3\frac{2}{6}=(\boxed{8}-\boxed{3})+(\frac{\boxed{5}}{6}-\frac{\boxed{2}}{6})=\boxed{5}\frac{\boxed{3}}{\boxed{6}}$

$5\frac{7}{11}-4\frac{1}{11}=(\boxed{5}-\boxed{4})+(\frac{\boxed{7}}{11}-\frac{\boxed{1}}{11})=\boxed{1}\frac{\boxed{6}}{\boxed{11}}$

$5\frac{4}{5}-\frac{2}{5}=5\frac{2}{5}$ $4\frac{5}{7}-\frac{2}{7}=4\frac{3}{7}$ $2\frac{3}{9}-\frac{1}{9}=2\frac{2}{9}$

$9\frac{5}{6}-3=6\frac{5}{6}$ $11\frac{1}{4}-8=3\frac{1}{4}$ $8\frac{2}{3}-1=7\frac{2}{3}$

$7\frac{4}{7}-3\frac{2}{7}=4\frac{2}{7}$ $8\frac{4}{9}-3\frac{1}{9}=5\frac{3}{9}$ $4\frac{5}{8}-2\frac{3}{8}=2\frac{2}{8}$

$10\frac{5}{6}-2\frac{4}{6}=8\frac{1}{6}$ $7\frac{4}{5}-6\frac{1}{5}=1\frac{3}{5}$ $11\frac{3}{4}-2\frac{2}{4}=9\frac{1}{4}$

$7\frac{4}{5}-\frac{2}{5}=7\frac{2}{5}$ $10\frac{5}{6}-4=6\frac{5}{6}$ $8\frac{7}{9}-3\frac{2}{9}=5\frac{5}{9}$

$2\frac{7}{8}-\frac{2}{8}=2\frac{5}{8}$ $8\frac{1}{2}-4=4\frac{1}{2}$ $12\frac{10}{11}-9\frac{2}{11}=3\frac{8}{11}$

16·17쪽

응용연산

1 분수의 뺄셈에 맞게 빈칸에 알맞은 분수를 쓰세요.

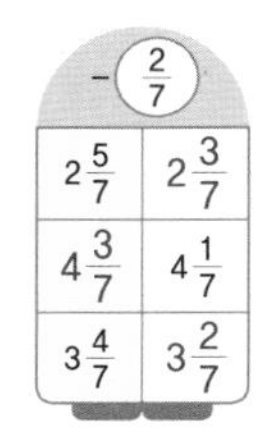

$-\frac{2}{7}$	
$2\frac{5}{7}$	$2\frac{3}{7}$
$4\frac{3}{7}$	$4\frac{1}{7}$
$3\frac{4}{7}$	$3\frac{2}{7}$

-4	
$5\frac{2}{9}$	$1\frac{2}{9}$
$9\frac{6}{7}$	$5\frac{6}{7}$
$7\frac{3}{8}$	$3\frac{3}{8}$

$-2\frac{3}{11}$	
$6\frac{10}{11}$	$4\frac{7}{11}$
$9\frac{6}{11}$	$7\frac{3}{11}$
$4\frac{8}{11}$	$2\frac{5}{11}$

2 다음 중 두 수를 사용하여 식을 만들고 계산하세요.

3 $3\frac{4}{13}$ $\frac{5}{13}$ $7\frac{11}{13}$

차가 가장 큰 식: 식 $7\frac{11}{13}-\frac{5}{13}=7\frac{6}{13}$ 답 $7\frac{6}{13}$

차가 가장 작은 식: 식 $3\frac{4}{13}-3=\frac{4}{13}$ 답 $\frac{4}{13}$

3 다음 식에서 ㉮+㉯가 가장 클 때의 값을 구하세요.

$6\frac{㉮}{6}-5\frac{㉯}{6}=1\frac{1}{6}$ ㉮+㉯= 9

4 다음과 같이 상자 안의 수를 한 번씩 모두 사용하여 계산 결과가 가장 큰 뺄셈식을 만들고 계산하세요.

1 7 5 2 $\boxed{7}\frac{\boxed{5}}{7}-\boxed{1}\frac{\boxed{2}}{7}=\boxed{6\frac{3}{7}}$

1 9 4 2 $\boxed{9}\frac{\boxed{4}}{8}-\boxed{1}\frac{\boxed{2}}{8}=\boxed{8\frac{2}{8}}$

4 8 3 5 $\boxed{8}\frac{\boxed{5}}{12}-\boxed{3}\frac{\boxed{4}}{12}=\boxed{5\frac{1}{12}}$

5 수환이의 몸무게는 $45\frac{9}{10}$ kg이고 동생의 몸무게는 $31\frac{6}{10}$ kg입니다. 수환이는 동생보다 몇 kg 더 무거울까요?

식 $45\frac{9}{10}-31\frac{6}{10}=14\frac{3}{10}$ 답 $14\frac{3}{10}$ kg

18·19쪽

4일 324 대분수의 덧셈, 뺄셈 (1)

개념원리: 덧셈과 뺄셈이 있는 대분수의 계산을 알아봅시다.

$6\frac{7}{11}-2\frac{3}{11}+5\frac{4}{11}=(6-2+5)+(\frac{7}{11}-\frac{3}{11}+\frac{4}{11})$

$=9+\frac{8}{11}=9\frac{8}{11}$

분모가 같은 대분수끼리의 덧셈과 뺄셈은 자연수는 자연수끼리, 분수는 분수끼리 계산합니다.

$3\frac{2}{6}+\frac{3}{6}+4=(3+4)+(\frac{2}{6}+\frac{3}{6})=7\frac{5}{6}$

$8\frac{2}{7}+\frac{4}{7}-3\frac{3}{7}=(8-3)+(\frac{2}{7}+\frac{4}{7}-\frac{3}{7})=5\frac{3}{7}$

$9\frac{4}{9}-4+2\frac{4}{9}=(9-4+2)+(\frac{4}{9}+\frac{4}{9})=7\frac{8}{9}$

$11\frac{4}{5}-2\frac{1}{5}-6\frac{1}{5}=(11-2-6)+(\frac{4}{5}-\frac{1}{5}-\frac{1}{5})=3\frac{2}{5}$

$4\frac{2}{7}+\frac{4}{7}-2=2\frac{6}{7}$ $\quad 2-1\frac{2}{6}+5\frac{3}{6}=6\frac{5}{6}$

$8\frac{8}{9}+1-\frac{4}{9}=9\frac{4}{9}$ $\quad 8\frac{4}{5}-4\frac{1}{5}+3=7\frac{3}{5}$

$6\frac{2}{8}+\frac{1}{8}+5\frac{3}{8}=11\frac{6}{8}$ $\quad 4\frac{2}{7}+3\frac{1}{7}+2\frac{2}{7}=9\frac{5}{7}$

$4\frac{7}{9}+6\frac{1}{9}-\frac{5}{9}=10\frac{3}{9}$ $\quad 5\frac{5}{8}+6\frac{2}{8}-4\frac{4}{8}=7\frac{3}{8}$

$3\frac{5}{6}-\frac{4}{6}+3\frac{2}{6}=6\frac{3}{6}$ $\quad 4\frac{4}{7}-2\frac{3}{7}+5\frac{2}{7}=7\frac{3}{7}$

$9\frac{9}{11}-4\frac{2}{11}-\frac{5}{11}=5\frac{2}{11}$ $\quad 8\frac{7}{9}-2\frac{2}{9}-3\frac{4}{9}=3\frac{1}{9}$

20·21쪽

응용연산

1 가로, 세로로 두 수의 합과 차에 맞게 상자 안의 수를 빈칸에 쓰세요.

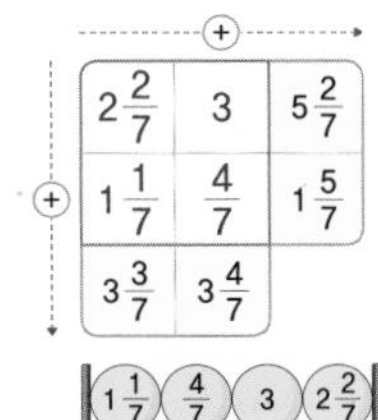

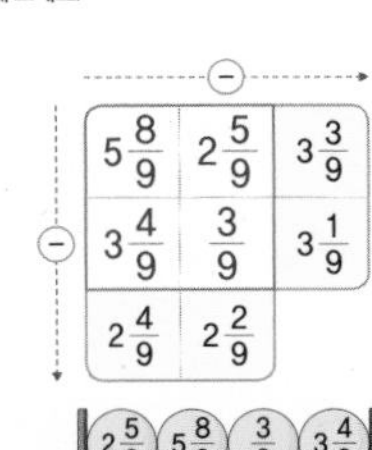

$1\frac{1}{7}$, $\frac{4}{7}$, 3, $2\frac{2}{7}$ $\quad$ $2\frac{5}{9}$, $5\frac{8}{9}$, $\frac{3}{9}$, $3\frac{4}{9}$

2 빈칸에 알맞은 수를 쓰세요.

$1\frac{4}{5} \xrightarrow{+5} 6\frac{4}{5} \xrightarrow{-\frac{2}{5}} 6\frac{2}{5}$

$4\frac{6}{11} \xrightarrow{-1\frac{5}{11}} 3\frac{1}{11} \xrightarrow{+6\frac{7}{11}} 9\frac{8}{11}$

3 $5\frac{9}{14}$에 어떤 수를 더해야 할 것을 잘못하여 뺐더니 $4\frac{5}{14}$가 되었습니다. 바르게 계산하면 얼마일까요?

$\square=5\frac{9}{14}-4\frac{5}{14}=1\frac{4}{14}$

잘못된 식: 식 $5\frac{9}{14}-\square=4\frac{5}{14}$ $\quad$ 어떤 수: $1\frac{4}{14}$

바르게 계산하기: 식 $5\frac{9}{14}+1\frac{4}{14}=6\frac{13}{14}$ $\quad$ 답 $6\frac{13}{14}$

4 수 카드를 한 번씩 모두 사용하여 만들 수 있는 분모가 13인 가장 큰 대분수와 가장 작은 대분수의 합과 차를 구하세요.

2 8 7 3

$8\frac{7}{13}+2\frac{3}{13}=10\frac{10}{13}$ $\quad$ $8\frac{7}{13}-2\frac{3}{13}=6\frac{4}{13}$

5 길이가 각각 $9\frac{8}{11}$ cm, $6\frac{2}{11}$ cm인 두 리본을 겹쳐서 이어 붙였습니다. 이어 붙인 길이가 $11\frac{4}{11}$ cm일 때, 겹쳐진 부분의 길이는 몇 cm일까요?

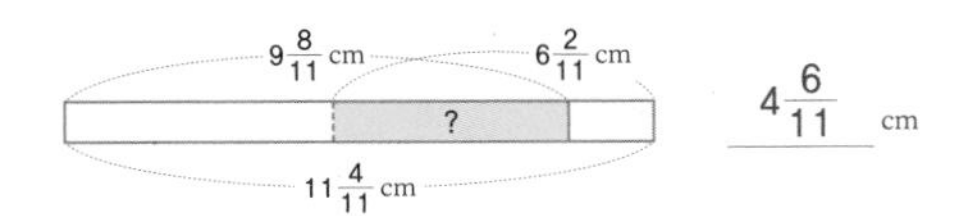

$4\frac{6}{11}$ cm

6 설탕 $3\frac{7}{9}$ g이 있습니다. 사탕 한 개를 만드는 데 설탕 $1\frac{2}{9}$ g이 필요합니다. 만들 수 있는 최대 사탕 개수는 모두 몇 개이고, 남는 설탕은 몇 g인지 구하세요.

사탕: 3 개, 남는 설탕: $\frac{1}{9}$ g

22・23쪽

5일 형성평가

1 빈칸에 알맞은 수를 쓰세요.

(+ 가로, − 세로)

$\frac{4}{13}$	$\frac{8}{13}$	$\frac{12}{13}$
$\frac{3}{13}$	$\frac{2}{13}$	$\frac{5}{13}$
$\frac{1}{13}$	$\frac{6}{13}$	

$\frac{6}{11}$	$\frac{3}{11}$	$\frac{9}{11}$
$\frac{2}{11}$	$\frac{1}{11}$	$\frac{3}{11}$
$\frac{4}{11}$	$\frac{2}{11}$	

2 □ 안에 들어갈 수 있는 수를 모두 쓰세요.

$\frac{6}{7}+\frac{□}{7}<1\frac{5}{7}$ 1, 2, 3, 4, 5

$2\frac{1}{9}<\frac{24}{9}-\frac{□}{9}<2\frac{4}{9}$ 3, 4

3 계산 결과의 크기를 비교하여 ○ 안에 >, =, <를 알맞게 넣으세요.

$\frac{7}{12}+\frac{8}{12}$ (<) $1\frac{5}{12}$

$1\frac{9}{10}-1\frac{2}{10}$ (=) $\frac{7}{10}$

4 두 분수를 구하세요.

• 두 분수의 분모가 모두 11입니다.
• 두 분수의 합은 $\frac{9}{11}$, 차는 $\frac{3}{11}$입니다.

$\frac{6}{11}$, $\frac{3}{11}$

• 두 분수의 분모가 모두 13입니다.
• 두 분수의 합은 $1\frac{4}{13}$, 차는 $\frac{5}{13}$입니다.

$\frac{11}{13}$, $\frac{6}{13}$

5 다음 중 두 수를 사용하여 식을 만들고 계산하세요.

$4\frac{2}{9}$ $3\frac{1}{9}$ 4 $\frac{7}{9}$

합이 가장 큰 식: 식 $4\frac{2}{9}+4=8\frac{2}{9}$ 답 $8\frac{2}{9}$

합이 가장 작은 식: 식 $\frac{7}{9}+3\frac{1}{9}=3\frac{8}{9}$ 답 $3\frac{8}{9}$

더하는 두 수는 바뀌어도 정답입니다.

6 수 카드를 한 번씩 모두 사용하여 만들 수 있는 분모가 11인 가장 큰 대분수와 가장 작은 대분수의 합을 구하세요.

6 2 5 3

$6\frac{5}{11}+2\frac{3}{11}=8\frac{8}{11}$

24쪽

7 다음 식에서 ㉮+㉯가 가장 클 때의 값을 구하세요.

$9\frac{㉮}{8}-6\frac{㉯}{8}=3\frac{3}{8}$ ㉮+㉯= 11

8 상자 안의 수를 한 번씩 모두 사용하여 식의 계산 결과가 가장 큰 뺄셈식을 만들고 계산하세요.

1 2 3 4 — $4\frac{3}{5}-1\frac{2}{5}=3\frac{1}{5}$

3 11 9 5 — $11\frac{9}{13}-3\frac{5}{13}=8\frac{4}{13}$

9 감자 $10\frac{12}{13}$ kg이 있습니다. 감자칩 한 봉지를 만드는 데 감자가 $2\frac{2}{13}$ kg 필요합니다. 만들 수 있는 감자칩은 최대 몇 봉지이고, 남는 감자는 몇 kg인지 구하세요.

감자칩: 5 봉지, 남는 감자: $\frac{2}{13}$ kg

대분수의 덧셈, 뺄셈

26·27쪽

1일 325 **대분수의 덧셈 (2)**

개념 원리

대분수의 덧셈을 두 가지 방법으로 계산해 봅시다.

$3\frac{3}{4}+2\frac{2}{4}=5+\frac{5}{4}=5+1\frac{1}{4}=6\frac{1}{4}$

자연수는 자연수끼리, 분수는 분수끼리 더합니다. 분수 부분의 계산 결과가 가분수이면 대분수로 바꿉니다.

$2\frac{3}{5}+4\frac{4}{5}=\frac{13}{5}+\frac{24}{5}=\frac{37}{5}=7\frac{2}{5}$

대분수를 가분수로 바꾸어 분자끼리 더한 후 계산 결과를 대분수로 나타냅니다.

$4\frac{4}{6}+\frac{3}{6}=4+\frac{7}{6}=4+1\frac{1}{6}=5\frac{1}{6}$

$2\frac{2}{3}+\frac{2}{3}=\frac{8}{3}+\frac{2}{3}=\frac{10}{3}=3\frac{1}{3}$

$1\frac{8}{11}+4\frac{6}{11}=5+\frac{14}{11}=5+1\frac{3}{11}=6\frac{3}{11}$

$2\frac{5}{7}+3\frac{3}{7}=\frac{19}{7}+\frac{24}{7}=\frac{43}{7}=6\frac{1}{7}$

$3\frac{4}{5}+\frac{3}{5}=4\frac{2}{5}$ $\frac{5}{7}+2\frac{5}{7}=3\frac{3}{7}$ $1\frac{8}{9}+\frac{5}{9}=2\frac{4}{9}$

$\frac{5}{6}+7\frac{3}{6}=8\frac{2}{6}$ $5\frac{6}{8}+\frac{7}{8}=6\frac{5}{8}$ $\frac{4}{5}+9\frac{4}{5}=10\frac{3}{5}$

$5\frac{2}{3}+2\frac{2}{3}=8\frac{1}{3}$ $4\frac{7}{9}+1\frac{4}{9}=6\frac{2}{9}$ $3\frac{5}{7}+3\frac{6}{7}=7\frac{4}{7}$

$3\frac{9}{11}+5\frac{7}{11}=9\frac{5}{11}$ $2\frac{3}{5}+2\frac{3}{5}=5\frac{1}{5}$ $1\frac{6}{13}+2\frac{9}{13}=4\frac{2}{13}$

$1\frac{6}{8}+4\frac{5}{8}=6\frac{3}{8}$ $\frac{6}{7}+2\frac{3}{7}=3\frac{2}{7}$ $4\frac{8}{9}+3\frac{6}{9}=8\frac{5}{9}$

$2\frac{13}{15}+2\frac{13}{15}=5\frac{11}{15}$ $3\frac{8}{11}+\frac{6}{11}=4\frac{3}{11}$ $6\frac{11}{17}+5\frac{14}{17}=12\frac{8}{17}$

28·29쪽

응용연산

1 (　) 안의 수가 합이 되는 두 수를 찾아 색칠하세요.

$5\frac{4}{9}$

$4\frac{7}{9}$	$3\frac{8}{9}$	$\frac{4}{9}$
$\frac{7}{9}$	$\frac{5}{9}$ (색칠)	$\frac{8}{9}$
$4\frac{8}{9}$ (색칠)	$4\frac{4}{9}$	$5\frac{1}{9}$

$7\frac{3}{7}$

$3\frac{4}{7}$ (색칠)	$2\frac{6}{7}$	$2\frac{1}{7}$
$4\frac{5}{7}$	$4\frac{3}{7}$	$3\frac{6}{7}$ (색칠)
$3\frac{5}{7}$	$4\frac{6}{7}$	$5\frac{1}{7}$

2 상자 안의 수를 한 번씩 모두 사용하여 분수의 덧셈식을 완성하세요.

(1, 3, 4, 2) $1\frac{3}{5}+2\frac{4}{5}=4\frac{2}{5}$

(6, 1, 2, 8) $5\frac{6}{7}+2\frac{2}{7}=8\frac{1}{7}$

(9, 5, 8, 6) $1\frac{9}{11}+5\frac{8}{11}=7\frac{6}{11}$

(8, 7, 6, 5) $8\frac{7}{9}+6\frac{5}{9}=15\frac{3}{9}$

자연수는 자연수끼리, 분자는 분자끼리 자리가 바뀌어도 정답입니다.

3 □ 안에 들어갈 수 있는 수를 모두 쓰세요.

$\frac{7}{9}+1\frac{\square}{9}<2\frac{4}{9}+\frac{1}{9}$ 　 1, 2, 3, 4, 5, 6

$1\frac{\square}{10}+2\frac{9}{10}>1\frac{2}{10}+3\frac{1}{10}$ 　 5, 6, 7, 8, 9

4 수 카드 8, 4, 7 이 있습니다.

수 카드로 만들 수 있는 대분수를 모두 쓰세요.

$8\frac{4}{7}, 7\frac{4}{8}, 4\frac{7}{8}$

위에서 만든 대분수 중 분모가 같은 대분수의 합을 구하세요.

식 $7\frac{4}{8}+4\frac{7}{8}=12\frac{3}{8}$ 　 답 $12\frac{3}{8}$

더하는 두 수는 바뀌어도 정답입니다.

5 지연이의 집에서 마트까지는 $2\frac{5}{7}$ km이고, 마트에서 할머니 댁까지는 $1\frac{6}{7}$ km입니다. 지연이가 집에서 마트를 지나 할머니 댁에 가려면 모두 몇 km를 가야 할까요?

식 $2\frac{5}{7}+1\frac{6}{7}=4\frac{4}{7}$ 　 답 $4\frac{4}{7}$ km

30·31쪽

2일 326 자연수에서 분수 빼기

개념 원리: 자연수에서 대분수를 빼는 방법을 알아봅시다.

$3-1\frac{3}{5}=2\frac{5}{5}-1\frac{3}{5}=1\frac{2}{5}$

자연수에서 1만큼을 빼는 분수와 분모가 같은 분수로 바꾼 후 자연수는 자연수끼리, 분수는 분수끼리 뺍니다.

$4-1\frac{5}{6}=\frac{24}{6}-\frac{11}{6}=\frac{13}{6}=2\frac{1}{6}$

자연수와 대분수를 모두 가분수로 바꾸어 분자끼리 뺀 후, 계산 결과가 가분수이면 대분수로 나타냅니다.

$8-\frac{5}{9}=7\frac{9}{9}-\frac{5}{9}=7\frac{4}{9}$ $7-2\frac{3}{8}=6\frac{8}{8}-2\frac{3}{8}=4\frac{5}{8}$

$3-\frac{3}{7}=\frac{21}{7}-\frac{3}{7}=\frac{18}{7}=2\frac{4}{7}$

$6-2\frac{3}{10}=\frac{60}{10}-\frac{23}{10}=\frac{37}{10}=3\frac{7}{10}$

$9-4\frac{5}{11}=\frac{99}{11}-\frac{49}{11}=\frac{50}{11}=4\frac{6}{11}$

$1-\frac{3}{4}=\frac{1}{4}$ $1-\frac{2}{7}=\frac{5}{7}$ $1-\frac{3}{10}=\frac{7}{10}$

$2-\frac{1}{5}=1\frac{4}{5}$ $5-\frac{6}{7}=4\frac{1}{7}$ $3-\frac{5}{11}=2\frac{6}{11}$

$6-2\frac{5}{8}=3\frac{3}{8}$ $8-3\frac{4}{9}=4\frac{5}{9}$ $7-5\frac{1}{3}=1\frac{2}{3}$

$5-1\frac{3}{7}=3\frac{4}{7}$ $10-7\frac{3}{13}=2\frac{10}{13}$ $9-2\frac{2}{5}=6\frac{3}{5}$

$11-5\frac{7}{9}=5\frac{2}{9}$ $9-1\frac{4}{11}=7\frac{7}{11}$ $12-3\frac{3}{8}=8\frac{5}{8}$

$10-2\frac{6}{13}=7\frac{7}{13}$ $13-5\frac{4}{5}=7\frac{1}{5}$ $14-7\frac{4}{7}=6\frac{3}{7}$

32·33쪽

응용연산

1 뺄셈에 맞게 선으로 이으세요.

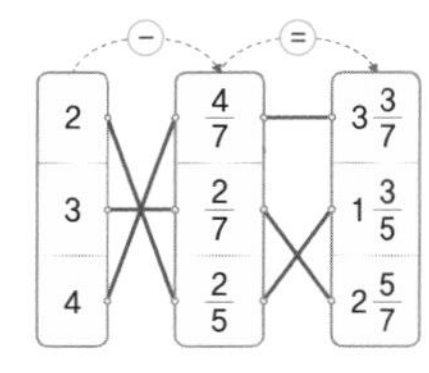

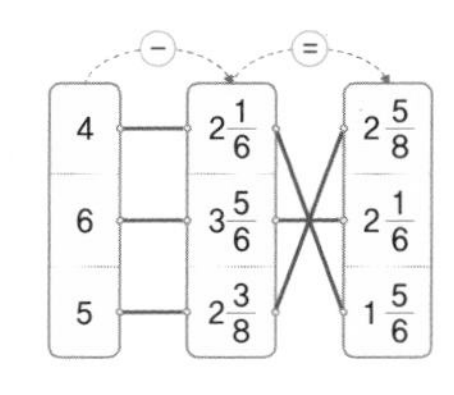

2 주어진 수를 한 번씩 모두 사용하여 계산 결과가 가장 큰 (자연수)−(분수)의 식을 만들고 계산하세요.

5 8 4: $8-\frac{4}{5}=7\frac{1}{5}$

3 9 7: $9-\frac{3}{7}=8\frac{4}{7}$

4 2 3 6: $6-2\frac{3}{4}=3\frac{1}{4}$

2 1 7 4: $7-1\frac{2}{4}=5\frac{2}{4}$

3 □ 안에 알맞은 수를 쓰세요.

1은 $\frac{1}{8}$이 8개, $\frac{3}{8}$은 $\frac{1}{8}$이 3개이므로, $1-\frac{3}{8}$은 $\frac{1}{8}$이 5개입니다.

따라서 $1-\frac{3}{8}=\frac{5}{8}$입니다.

4 어떤 수에서 $2\frac{2}{7}$를 빼야 할 것을 잘못하여 더했더니 $7\frac{2}{7}$가 되었습니다. 바르게 계산하면 얼마일까요?

잘못된 식: 식 $\square+2\frac{2}{7}=7\frac{2}{7}$ 어떤 수: 5

$\square=7\frac{2}{7}-2\frac{2}{7}=5$

바르게 계산하기: 식 $5-2\frac{2}{7}=2\frac{5}{7}$ 답 $2\frac{5}{7}$

5 민수는 책을 어제까지 전체의 $\frac{3}{8}$만큼 읽었습니다. 민수가 오늘 전체의 얼마를 읽어야 책을 모두 읽게 될까요?

식 $1-\frac{3}{8}=\frac{5}{8}$ 답 $\frac{5}{8}$

6 탁구공과 농구공을 4 m 위에서 떨어뜨립니다. 탁구공은 3 m 튀어 올랐고, 농구공은 $1\frac{4}{7}$ m 튀어 올랐습니다. 탁구공은 농구공보다 몇 m 더 튀어 올랐을까요?

식 $3-1\frac{4}{7}=1\frac{3}{7}$ 답 $1\frac{3}{7}$ m

34·35 쪽

3일 327 **대분수의 뺄셈 (2)**

개념원리 분수 부분끼리는 뺄 수 없는 대분수의 뺄셈을 알아봅시다.

$7\frac{2}{5}-3\frac{4}{5}=6\frac{\boxed{7}}{5}-3\frac{4}{5}=\boxed{3}\frac{\boxed{3}}{5}$

빼지는 분수의 자연수에서 1만큼을 가분수로 바꾼 후 자연수는 자연수끼리, 분수는 분수끼리 뺍니다.

$3\frac{3}{4}-2\frac{2}{4}=\frac{\boxed{15}}{4}-\frac{\boxed{10}}{4}=\frac{\boxed{5}}{4}=\boxed{1}\frac{\boxed{1}}{4}$

대분수를 가분수로 바꾸어 분자끼리 뺀 후 계산 결과가 가분수이면 대분수로 나타냅니다.

$5\frac{3}{7}-\frac{5}{7}=4\frac{\boxed{10}}{7}-\frac{\boxed{5}}{7}=\boxed{4}\frac{\boxed{5}}{7}$

$7\frac{5}{11}-6\frac{9}{11}=6\frac{\boxed{16}}{11}-6\frac{9}{11}=\frac{\boxed{7}}{\boxed{11}}$

$11\frac{2}{5}-10\frac{4}{5}=\frac{\boxed{57}}{5}-\frac{\boxed{54}}{5}=\frac{\boxed{3}}{\boxed{5}}$

$4\frac{3}{13}-1\frac{5}{13}=\frac{\boxed{55}}{13}-\frac{\boxed{18}}{13}=\frac{\boxed{37}}{13}=\boxed{2}\frac{\boxed{11}}{13}$

$2\frac{3}{9}-\frac{7}{9}=1\frac{5}{9}$ $4\frac{1}{7}-\frac{4}{7}=3\frac{4}{7}$ $3\frac{2}{11}-\frac{9}{11}=2\frac{4}{11}$

$4\frac{1}{4}-\frac{2}{4}=3\frac{3}{4}$ $1\frac{1}{5}-\frac{4}{5}=\frac{2}{5}$ $6\frac{3}{8}-\frac{6}{8}=5\frac{5}{8}$

$5\frac{2}{9}-4\frac{7}{9}=\frac{4}{9}$ $3\frac{4}{13}-2\frac{11}{13}=\frac{6}{13}$ $8\frac{5}{7}-7\frac{6}{7}=\frac{6}{7}$

$6\frac{2}{5}-2\frac{4}{5}=3\frac{3}{5}$ $9\frac{2}{10}-4\frac{9}{10}=4\frac{3}{10}$ $11\frac{1}{3}-3\frac{2}{3}=7\frac{2}{3}$

$15\frac{3}{11}-9\frac{9}{11}=5\frac{5}{11}$ $4\frac{2}{12}-\frac{7}{12}=3\frac{7}{12}$ $6\frac{3}{9}-2\frac{7}{9}=3\frac{5}{9}$

$7\frac{2}{7}-1\frac{5}{7}=5\frac{4}{7}$ $2\frac{6}{17}-\frac{14}{17}=1\frac{9}{17}$ $9\frac{4}{8}-4\frac{7}{8}=4\frac{5}{8}$

36·37 쪽

응용연산

1 가로, 세로, 대각선 방향으로 ● 안의 수가 차가 되는 두 수를 묶으세요. (두 가지 방법이 있습니다.)

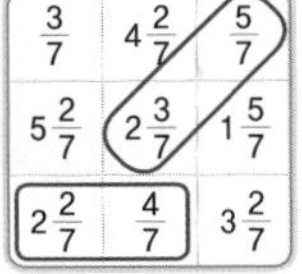

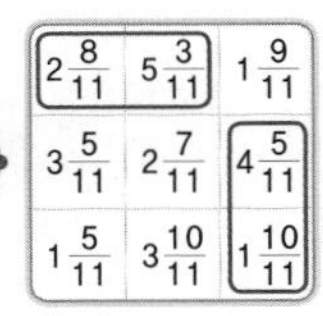

2 상자 안의 수를 한 번씩 모두 사용하여 분수의 뺄셈식을 완성하세요.

3 9 5 4

$\boxed{9}\frac{\boxed{3}}{7}-\boxed{5}\frac{\boxed{4}}{7}=3\frac{6}{7}$

3 2 6 1

$\boxed{6}\frac{\boxed{2}}{5}-\boxed{1}\frac{4}{5}=4\frac{\boxed{3}}{5}$

5 3 2 8

$9\frac{1}{9}-\boxed{3}\frac{\boxed{2}}{9}=\boxed{5}\frac{\boxed{8}}{9}$ (또는 5, 3)

3 7 4 8

$6\frac{\boxed{4}}{11}-2\frac{\boxed{7}}{11}=\boxed{3}\frac{\boxed{8}}{11}$ (또는 8, 7)

3 주어진 수를 한 번씩 모두 사용하여 계산 결과가 가장 작은 (대분수)−(대분수)의 식을 만들고 계산하세요.

$\boxed{3}\frac{\boxed{5}}{9}-\boxed{2}\frac{\boxed{8}}{9}=\boxed{\frac{6}{9}}$

3 6 1 9

$\boxed{3}\frac{\boxed{6}}{11}-\boxed{1}\frac{\boxed{9}}{11}=\boxed{1\frac{8}{11}}$

4 □ 안에 들어갈 수 있는 수를 모두 쓰세요.

$3\frac{\square}{11}-\frac{7}{11}<2\frac{10}{11}-\frac{1}{11}$

1, 2, 3, 4

$8\frac{\square}{11}-8\frac{2}{11}>4\frac{1}{11}-3\frac{8}{11}$

7, 8, 9, 10

5 다음은 슬기와 정호가 계산이 잘못되었다고 이야기한 것입니다. □ 안에 알맞은 수를 쓰세요.

$8\frac{1}{7}-6\frac{4}{7}=2\frac{4}{7}$

슬기: 덧셈으로 검산해 보면 $6\frac{4}{7}+2\frac{4}{7}$는 $8\frac{1}{7}$이 아니라 $\boxed{9\frac{1}{7}}$이므로 계산이 잘못되었어.

정호: 8−6=2이지만 $\frac{1}{7}$이 $\frac{4}{7}$보다 작으므로 계산 결과는 $\boxed{2}$보다 작아야 해.

38·39쪽

4일 328 대분수의 덧셈, 뺄셈 (2)

개념원리

덧셈과 뺄셈이 섞여 있는 대분수의 계산을 알아봅시다.

$3\frac{2}{13}-1\frac{8}{13}+4\frac{1}{13}=2\frac{15}{13}-1\frac{8}{13}+4\frac{1}{13}$

$=(2-1+4)+(\frac{15}{13}-\frac{8}{13}+\frac{1}{13})$

$=5+\frac{8}{13}=5\frac{8}{13}$

분수 부분끼리 뺄 수 없을 때에는 빼지는 분수의 자연수에서 1만큼을 가분수로 바꿉니다.

$1\frac{2}{7}+3\frac{1}{7}-1\frac{5}{7}=\frac{9}{7}+\frac{22}{7}-\frac{12}{7}=\frac{19}{7}=2\frac{5}{7}$

대분수를 가분수로 바꾸어 계산합니다.

$7\frac{3}{5}-2\frac{4}{5}-1\frac{2}{5}=6\frac{8}{5}-2\frac{4}{5}-1\frac{2}{5}$

$=(6-2-1)+(\frac{8}{5}-\frac{4}{5}-\frac{2}{5})=3+\frac{2}{5}=3\frac{2}{5}$

$2\frac{7}{8}+1\frac{5}{8}+1\frac{1}{8}=\frac{23}{8}+\frac{13}{8}+\frac{9}{8}=\frac{45}{8}=5\frac{5}{8}$

$2\frac{3}{11}+1\frac{9}{11}+\frac{8}{11}=4\frac{9}{11}$ $2\frac{6}{7}+1\frac{5}{7}+3\frac{4}{7}=8\frac{1}{7}$

$9\frac{5}{11}-4\frac{9}{11}+\frac{6}{11}=5\frac{2}{11}$ $14\frac{4}{7}-6\frac{2}{7}-5\frac{5}{7}=2\frac{4}{7}$

$4\frac{4}{7}+2\frac{6}{7}-1\frac{5}{7}=5\frac{5}{7}$ $3\frac{2}{4}+\frac{3}{4}-2\frac{2}{4}=1\frac{3}{4}$

$9\frac{5}{9}-3\frac{6}{9}+5\frac{7}{9}=11\frac{6}{9}$ $3\frac{2}{13}-\frac{5}{13}+6\frac{1}{13}=8\frac{11}{13}$

$5\frac{11}{13}+\frac{7}{13}-3\frac{12}{13}=2\frac{6}{13}$ $7\frac{5}{9}+3\frac{6}{9}-5\frac{4}{9}=5\frac{7}{9}$

$3\frac{2}{10}-\frac{4}{10}+3\frac{5}{10}=6\frac{3}{10}$ $4\frac{2}{5}-3\frac{4}{5}+5\frac{3}{5}=6\frac{1}{5}$

38 응용연산 D1 2주: 대분수의 덧셈, 뺄셈 39

40·41쪽

응용연산

1 가로, 세로로 두 수의 합과 차에 맞게 상자 안의 수를 빈칸에 쓰세요.

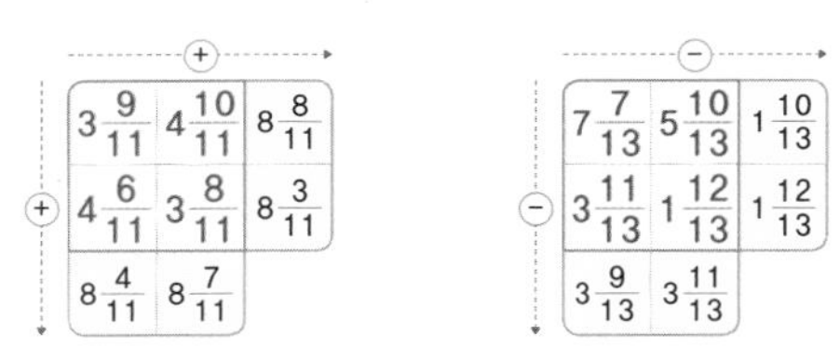

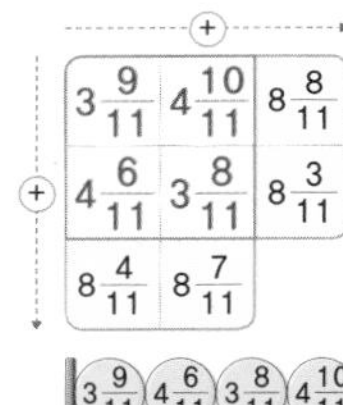

(+) $3\frac{9}{11}$, $4\frac{10}{11}$, $8\frac{8}{11}$ / $4\frac{6}{11}$, $3\frac{8}{11}$, $8\frac{3}{11}$ / $8\frac{4}{11}$, $8\frac{7}{11}$

상자: $3\frac{9}{11}$, $4\frac{6}{11}$, $3\frac{8}{11}$, $4\frac{10}{11}$

(−) $7\frac{7}{13}$, $5\frac{10}{13}$, $1\frac{10}{13}$ / $3\frac{11}{13}$, $1\frac{12}{13}$, $1\frac{12}{13}$ / $3\frac{9}{13}$, $3\frac{11}{13}$

상자: $1\frac{12}{13}$, $5\frac{10}{13}$, $3\frac{11}{13}$, $7\frac{7}{13}$

2 다음과 같이 계산 결과에 맞게 ×표 하여 수를 지우세요.

$1\frac{6}{7}+8\frac{5}{7}-5\frac{6}{7}+2\frac{3}{7}=4\frac{5}{7}$ ($2\frac{3}{7}$에 ×표)

$6\frac{4}{9}-4\frac{5}{9}+2\frac{8}{9}+7\frac{6}{9}=9\frac{5}{9}$ ($2\frac{8}{9}$에 ×표)

3 수 카드로 분모가 같은 대분수 2개를 만들고, 두 대분수를 넣어 만든 식을 계산하세요.

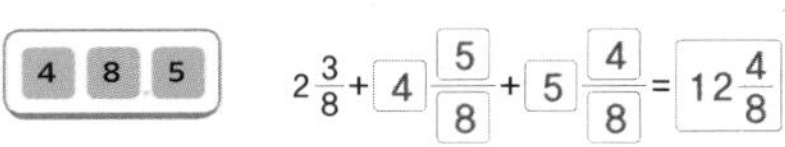

4 8 5

$2\frac{3}{8}+4\frac{5}{8}+5\frac{4}{8}=12\frac{4}{8}$

더하는 두 대분수는 서로 바뀌어도 정답입니다.

4 분수 카드 중 3장을 사용하여 계산 결과가 5에 가장 가까운 덧셈, 뺄셈이 섞여 있는 식을 만들고 계산하세요.

$1\frac{7}{9}$ $2\frac{5}{9}$ $7\frac{2}{9}$ $3\frac{3}{9}$ $8\frac{1}{9}$

$7\frac{2}{9}+1\frac{7}{9}-3\frac{3}{9}=5\frac{6}{9}$

식을 쓰는 순서는 서로 바뀌어도 정답입니다.

5 수 카드를 한 번씩 모두 사용하여 다음 식을 완성하세요.

2 4 5 9

$5\frac{3}{10}+2\frac{2}{10}-4\frac{9}{10}=2\frac{6}{10}$

6 길이가 $7\frac{2}{8}$ m인 색 테이프가 있습니다. 물건 하나를 포장하는 데 $2\frac{3}{8}$ m의 색 테이프를 사용한다면 색 테이프로 포장할 수 있는 물건은 최대 몇 개이고, 남는 색 테이프는 몇 m일까요?

물건: 3 개, 남는 색 테이프: $\frac{1}{8}$ m

40 응용연산 D1 2주: 대분수의 덧셈, 뺄셈 41

42·43쪽

5일 형성평가

1 ◠ 안의 수가 합이 되는 두 수를 찾아 색칠하세요.

$12\frac{5}{11}$

$4\frac{3}{11}$	$5\frac{8}{11}$	$8\frac{7}{11}$
$3\frac{9}{11}$	$\frac{10}{11}$	$2\frac{5}{11}$
$9\frac{1}{11}$	$5\frac{2}{11}$	$6\frac{9}{11}$

$7\frac{3}{12}$

$2\frac{5}{12}$	$2\frac{7}{12}$	$4\frac{11}{12}$
$3\frac{11}{12}$	$3\frac{9}{12}$	$2\frac{9}{12}$
$3\frac{5}{12}$	$3\frac{6}{12}$	$5\frac{1}{12}$

2 윤석이의 집에서 병원까지의 거리는 $1\frac{15}{17}$ km이고, 병원에서 학교까지의 거리는 $2\frac{8}{17}$ km입니다. 윤석이가 집에서 병원을 지나 학교에 가려면 모두 몇 km를 가야 할까요?

식 $1\frac{15}{17}+2\frac{8}{17}=4\frac{6}{17}$ 답 $4\frac{6}{17}$ km

3 주어진 수를 한 번씩 모두 사용하여 계산 결과가 가장 큰 (자연수)−(분수)의 식을 만들고 계산하세요.

$13-\frac{9}{11}=12\frac{2}{11}$ $10-\frac{5}{8}=9\frac{3}{8}$

4 어떤 수에서 $4\frac{10}{13}$을 빼야 할 것을 잘못하여 더했더니 $11\frac{2}{13}$가 되었습니다. 바르게 계산하면 얼마일까요?

잘못된 식: 식 $\square+4\frac{10}{13}=11\frac{2}{13}$ 어떤 수: $6\frac{5}{13}$

$\square=11\frac{2}{13}-4\frac{10}{13}=6\frac{5}{13}$

바르게 계산하기: 식 $6\frac{5}{13}-4\frac{10}{13}=1\frac{8}{13}$ 답 $1\frac{8}{13}$

5 가로, 세로, 대각선 방향으로 ● 안의 수가 차가 되는 두 수를 묶으세요. (두 가지 방법이 있습니다.)

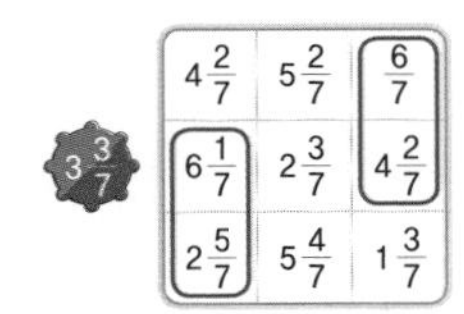

$3\frac{3}{7}$
$4\frac{2}{7}$ $5\frac{2}{7}$ $\frac{6}{7}$
$6\frac{1}{7}$ $2\frac{3}{7}$ $4\frac{2}{7}$
$2\frac{5}{7}$ $5\frac{4}{7}$ $1\frac{3}{7}$

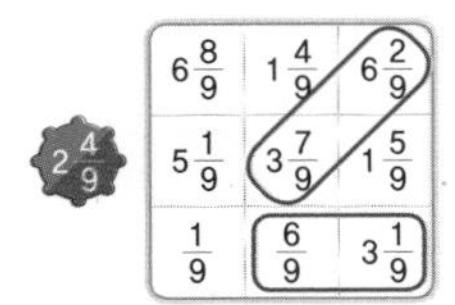

$2\frac{4}{9}$
$6\frac{8}{9}$ $1\frac{4}{9}$ $6\frac{2}{9}$
$5\frac{1}{9}$ $3\frac{7}{9}$ $1\frac{5}{9}$
$\frac{1}{9}$ $\frac{6}{9}$ $3\frac{1}{9}$

6 수 카드로 만들 수 있는 대분수 중 분모가 같은 대분수 2개를 골라 합과 차를 구하세요.

3 11 9

합: $3\frac{9}{11}+9\frac{3}{11}=13\frac{1}{11}$

차: $9\frac{3}{11}-3\frac{9}{11}=5\frac{5}{11}$

덧셈식에서 더하는 두 대분수는 서로 바뀌어도 정답입니다.

44쪽

7 다음은 민주와 준희가 계산이 잘못되었다고 이야기한 것입니다. □ 안에 알맞은 수를 쓰세요.

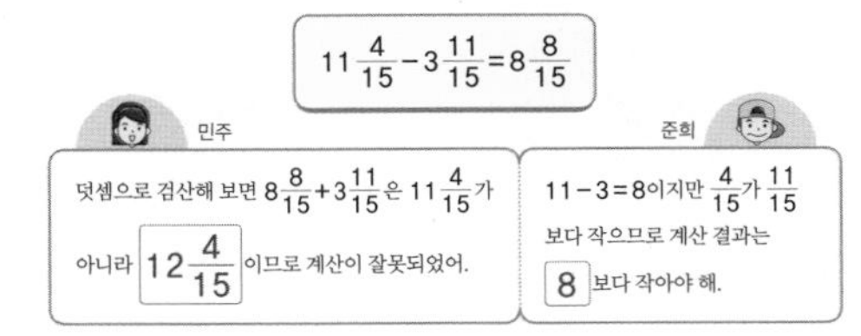

$11\frac{4}{15}-3\frac{11}{15}=8\frac{8}{15}$
민주
준희
덧셈으로 검산해 보면 $8\frac{8}{15}+3\frac{11}{15}$은 $11\frac{4}{15}$가 아니라 $12\frac{4}{15}$이므로 계산이 잘못되었어.
$11-3=8$이지만 $\frac{4}{15}$가 $\frac{11}{15}$보다 작으므로 계산 결과는 8보다 작아야 해.

8 다음과 같이 계산 결과에 맞게 ╳표 하여 수를 지우세요.

$13\frac{1}{11}-9\frac{3}{11}+\cancel{4\frac{5}{11}}+2\frac{7}{11}=6\frac{5}{11}$

$4\frac{8}{13}+\cancel{7\frac{5}{13}}+6\frac{4}{13}-6\frac{7}{13}=4\frac{5}{13}$

9 분수 카드 중 3장을 사용하여 계산 결과가 7에 가장 가까운 덧셈, 뺄셈이 섞여 있는 식을 만들고 계산하세요.

$2\frac{1}{7}$ $5\frac{4}{7}$ $2\frac{6}{7}$ $1\frac{4}{7}$ $3\frac{6}{7}$

$5\frac{4}{7}+2\frac{6}{7}-1\frac{4}{7}=6\frac{6}{7}$

식을 쓰는 순서는 서로 바뀌어도 정답입니다.

분수의 크기 비교

1일 329 크기가 같은 분수

개념원리: 크기가 같은 분수를 알아봅시다.

$\frac{1}{2}=\frac{2}{4}=\frac{3}{6}=\frac{4}{8}=\frac{5}{10}$

분모, 분자에 0이 아닌 같은 수를 곱하면 크기가 같은 분수가 됩니다. $\frac{1}{2}=\frac{1\times2}{2\times2}=\frac{2}{4}$

분모, 분자를 0이 아닌 같은 수로 나누면 크기가 같은 분수가 됩니다. $\frac{3}{6}=\frac{3\div3}{6\div3}=\frac{1}{2}$

$\frac{2}{3}=\frac{4}{6}=\frac{6}{9}=\frac{8}{12}=\frac{10}{15}$

$\frac{15}{20}=\frac{12}{16}=\frac{9}{12}=\frac{6}{8}=\frac{3}{4}$

$\frac{3}{5}=\frac{6}{10}=\frac{9}{15}=\frac{12}{20}=\frac{15}{25}$

$\frac{2}{7}=\frac{4}{14}$　$\frac{3}{9}=\frac{1}{3}$　$\frac{5}{6}=\frac{15}{18}$

$\frac{2}{14}=\frac{1}{7}$　$\frac{1}{5}=\frac{3}{15}$　$\frac{9}{18}=\frac{1}{2}$

$\frac{1}{3}=\frac{2}{6}=\frac{3}{9}$　$\frac{4}{8}=\frac{2}{4}=\frac{1}{2}$　$\frac{1}{5}=\frac{2}{10}=\frac{3}{15}$

$\frac{6}{12}=\frac{3}{6}=\frac{2}{4}$　$\frac{1}{6}=\frac{3}{18}=\frac{4}{24}$　$\frac{8}{16}=\frac{2}{4}=\frac{1}{2}$

$5\frac{3}{5}=5\frac{12}{20}$　$4\frac{5}{8}=4\frac{10}{16}$　$3\frac{2}{9}=3\frac{6}{27}$

$2\frac{21}{30}=2\frac{7}{10}$　$3\frac{30}{45}=3\frac{2}{3}$　$1\frac{10}{45}=1\frac{2}{9}$

응용연산

1 크기가 같은 분수를 만들려고 합니다. □ 안에 알맞은 수 또는 말을 쓰세요.

$\frac{3}{4}=\frac{9}{12}$ (×3) 분모와 분자에 0이 아닌 같은 수를 곱하여 크기가 같은 분수를 만들 수 있습니다.

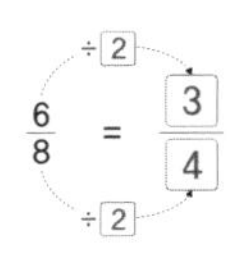

$\frac{6}{8}=\frac{3}{4}$ (÷2) 분모와 분자를 0이 아닌 같은 수로 나누어 크기가 같은 분수를 만들 수 있습니다.

2 ○안의 분수와 크기가 같은 분수에 모두 ○표 하세요.

$\frac{3}{7}$: ($\frac{12}{28}$) $\frac{6}{10}$ ($\frac{6}{14}$) ($\frac{9}{21}$) $\frac{9}{14}$ $\frac{15}{28}$

$2\frac{24}{32}$: ($2\frac{12}{16}$) ($2\frac{6}{8}$) $2\frac{4}{5}$ ($2\frac{3}{4}$) $1\frac{2}{3}$ $2\frac{8}{10}$

3 수 카드를 사용하여 주어진 분수와 크기가 같은 분수를 만드세요.

20 28 14 16 12　$\frac{3}{4}=\frac{12}{16}$

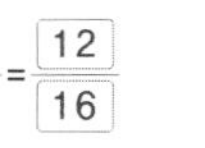

3 18 6 12 5　$\frac{12}{36}=\frac{6}{18}$

4 $\frac{2}{3}$와 크기가 같은 분수 중에서 분자와 분모의 합이 40인 분수를 쓰세요.

$\frac{16}{24}$

5 친구 4명이 철사로 모양 꾸미기 놀이를 합니다. 종호는 $1\frac{16}{20}$ m, 승윤이는 $1\frac{18}{25}$ m, 수미는 $1\frac{8}{10}$ m, 진영이는 $1\frac{3}{4}$ m의 철사를 사용하였습니다. 사용한 철사의 길이가 같은 사람은 누구와 누구일까요?

종호, 수미

6 승호는 케이크를 똑같이 5조각으로 나눈 후 2조각을 먹었습니다. 지윤이는 같은 케이크를 똑같이 15조각으로 나누었습니다. 승호와 똑같은 양을 먹으려면 지윤이는 몇 조각을 먹어야 할까요?

6 조각

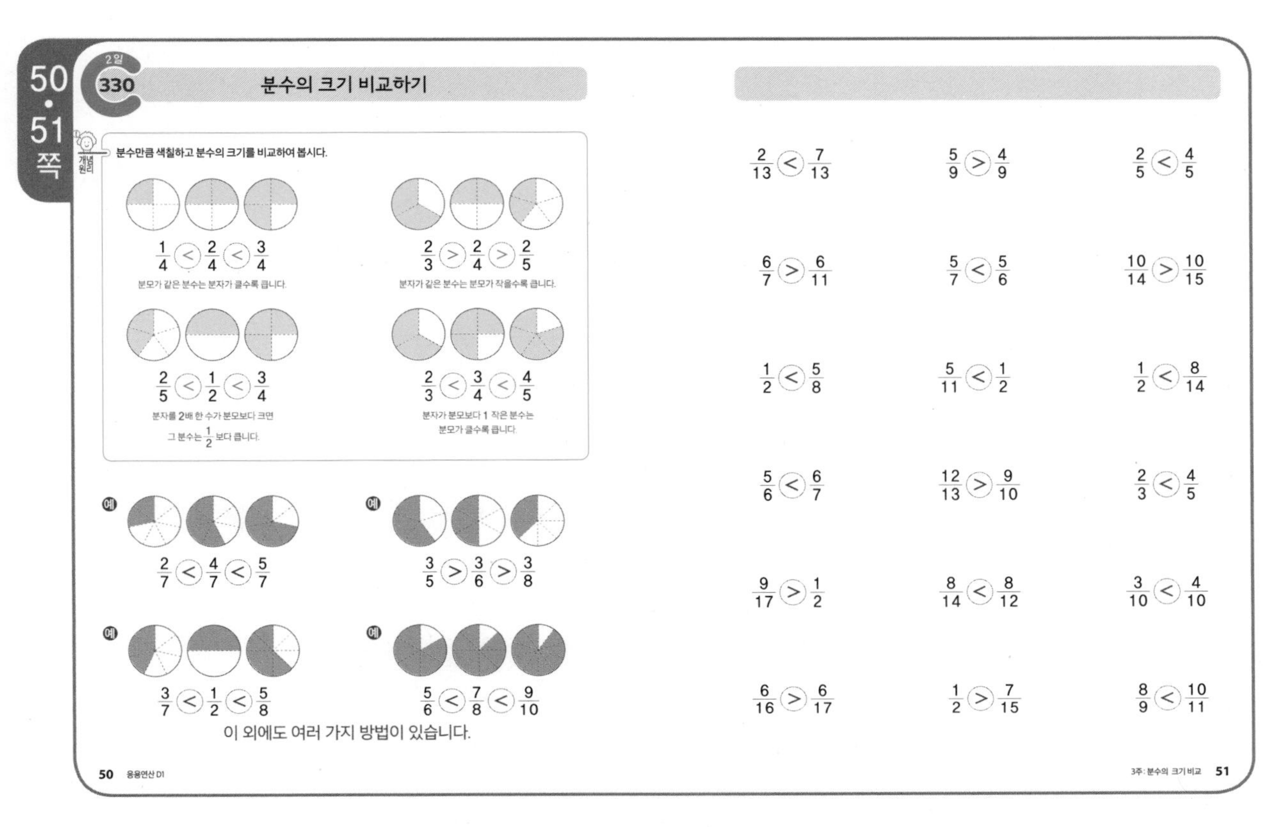

50·51쪽

2일 330 분수의 크기 비교하기

개념원리 분수만큼 색칠하고 분수의 크기를 비교하여 봅시다.

$\frac{1}{4} < \frac{2}{4} < \frac{3}{4}$ 분모가 같은 분수는 분자가 클수록 큽니다.

$\frac{2}{3} > \frac{2}{4} > \frac{2}{5}$ 분자가 같은 분수는 분모가 작을수록 큽니다.

$\frac{2}{5} < \frac{1}{2} < \frac{3}{4}$ 분자를 2배 한 수가 분모보다 크면 그 분수는 $\frac{1}{2}$ 보다 큽니다.

$\frac{2}{3} < \frac{3}{4} < \frac{4}{5}$ 분자가 분모보다 1 작은 분수는 분모가 클수록 큽니다.

예 $\frac{2}{7} < \frac{4}{7} < \frac{5}{7}$

예 $\frac{3}{5} > \frac{3}{6} > \frac{3}{8}$

예 $\frac{3}{7} < \frac{1}{2} < \frac{5}{8}$

예 $\frac{5}{6} < \frac{7}{8} < \frac{9}{10}$

이 외에도 여러 가지 방법이 있습니다.

$\frac{2}{13} < \frac{7}{13}$	$\frac{5}{9} > \frac{4}{9}$	$\frac{2}{5} < \frac{4}{5}$
$\frac{6}{7} > \frac{6}{11}$	$\frac{5}{7} < \frac{5}{6}$	$\frac{10}{14} > \frac{10}{15}$
$\frac{1}{2} < \frac{5}{8}$	$\frac{5}{11} < \frac{1}{2}$	$\frac{1}{2} < \frac{8}{14}$
$\frac{5}{6} < \frac{6}{7}$	$\frac{12}{13} > \frac{9}{10}$	$\frac{2}{3} < \frac{4}{5}$
$\frac{9}{17} > \frac{1}{2}$	$\frac{8}{14} < \frac{8}{12}$	$\frac{3}{10} < \frac{4}{10}$
$\frac{6}{16} > \frac{6}{17}$	$\frac{1}{2} > \frac{7}{15}$	$\frac{8}{9} < \frac{10}{11}$

50 응용연산 D1

3주: 분수의 크기 비교 51

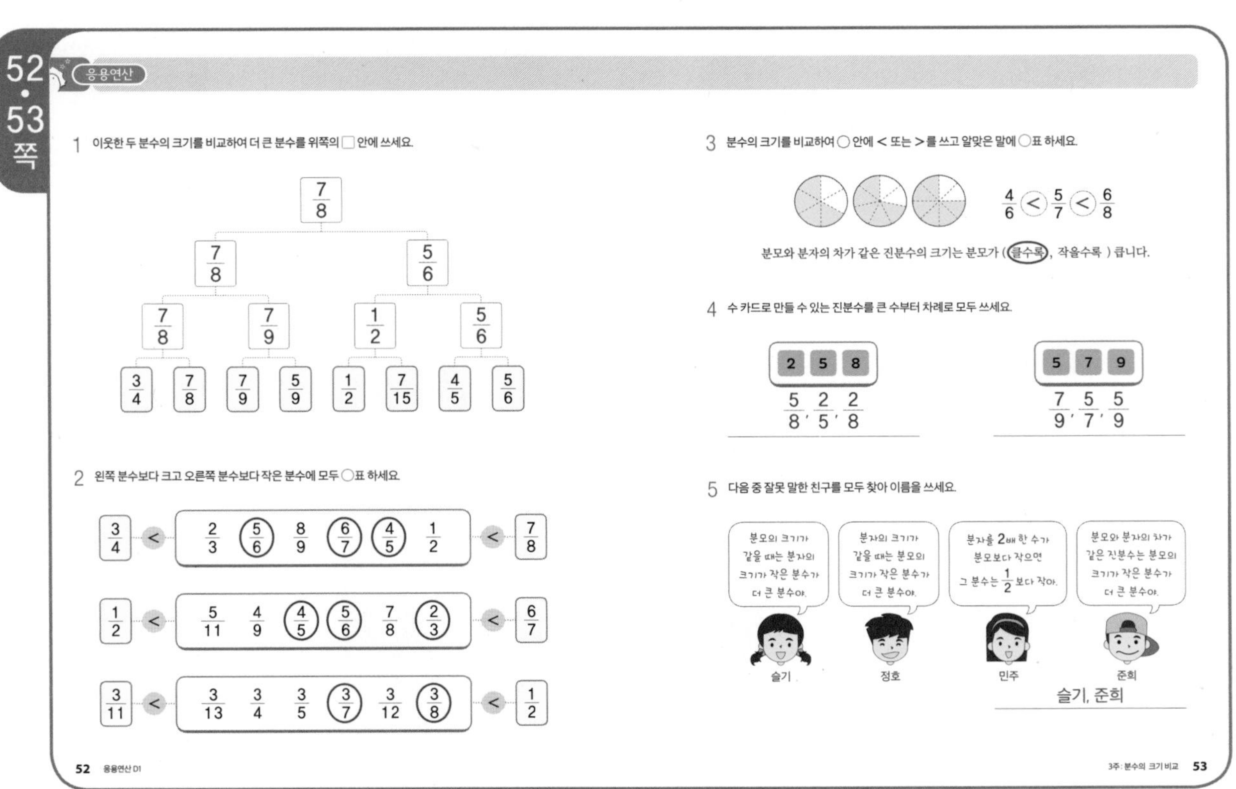

52·53쪽

응용연산

1 이웃한 두 분수의 크기를 비교하여 더 큰 분수를 위쪽의 □ 안에 쓰세요.

$\frac{7}{8}$

$\frac{7}{8}$, $\frac{5}{6}$

$\frac{7}{8}$, $\frac{7}{9}$, $\frac{1}{2}$, $\frac{5}{6}$

$\frac{3}{4}$, $\frac{7}{8}$, $\frac{7}{9}$, $\frac{5}{9}$, $\frac{1}{2}$, $\frac{7}{15}$, $\frac{4}{5}$, $\frac{5}{6}$

2 왼쪽 분수보다 크고 오른쪽 분수보다 작은 분수에 모두 ○표 하세요.

$\frac{3}{4}$ < [$\frac{2}{3}$, ($\frac{5}{6}$), $\frac{8}{9}$, ($\frac{6}{7}$), ($\frac{4}{5}$), $\frac{1}{2}$] < $\frac{7}{8}$

$\frac{1}{2}$ < [$\frac{5}{11}$, $\frac{4}{9}$, ($\frac{4}{5}$), ($\frac{5}{6}$), $\frac{7}{8}$, ($\frac{2}{3}$)] < $\frac{6}{7}$

$\frac{3}{11}$ < [$\frac{3}{13}$, $\frac{3}{4}$, $\frac{3}{5}$, ($\frac{3}{7}$), $\frac{3}{12}$, ($\frac{3}{8}$)] < $\frac{1}{2}$

3 분수의 크기를 비교하여 ○ 안에 < 또는 >를 쓰고 알맞은 말에 ○표 하세요.

$\frac{4}{6} < \frac{5}{7} < \frac{6}{8}$

분모와 분자의 차가 같은 진분수의 크기는 분모가 (클수록, 작을수록) 큽니다. — 클수록에 ○표

4 수 카드로 만들 수 있는 진분수를 큰 수부터 차례로 모두 쓰세요.

2 5 8: $\frac{5}{8}$, $\frac{2}{5}$, $\frac{2}{8}$

5 7 9: $\frac{7}{9}$, $\frac{5}{7}$, $\frac{5}{9}$

5 다음 중 잘못 말한 친구를 모두 찾아 이름을 쓰세요.

분모의 크기가 같을 때는 분자의 크기가 작은 분수가 더 큰 분수야.
분자의 크기가 같을 때는 분모의 크기가 작은 분수가 더 큰 분수야.
분자를 2배 한 수가 분모보다 작으면 그 분수는 $\frac{1}{2}$ 보다 작아.
분모와 분자의 차가 같은 진분수는 분모의 크기가 작은 분수가 더 큰 분수야.
슬기
정호
민주
준희

슬기, 준희

52 응용연산 D1

3주: 분수의 크기 비교 53

54 • 55 쪽

3일 **331** 크기가 같은 분수로 크기 비교

개념원리 크기가 같은 분수를 이용하여 분수의 크기를 비교하여 봅시다.

$(\frac{2}{3}, \frac{5}{6}) \Rightarrow (\frac{4}{6}, \frac{5}{6}) \Rightarrow \frac{2}{3} < \frac{5}{6}$ 분모가 같도록 $\frac{2}{3}$를 $\frac{4}{6}$로 고친 후 분수의 크기를 비교합니다.

$(\frac{2}{5}, \frac{4}{11}) \Rightarrow (\frac{4}{10}, \frac{4}{11}) \Rightarrow \frac{2}{5} > \frac{4}{11}$ 분자가 같도록 $\frac{2}{5}$를 $\frac{4}{10}$로 고친 후 분수의 크기를 비교합니다.

$(\frac{5}{7}, \frac{11}{15}) \Rightarrow (\frac{10}{14}, \frac{11}{15}) \Rightarrow \frac{5}{7} < \frac{11}{15}$ 분모, 분자의 차가 같도록 $\frac{5}{7}$를 $\frac{10}{14}$으로 고친 후 분수의 크기를 비교합니다.

$(\frac{4}{7}, \frac{9}{14}) \Rightarrow (\frac{8}{14}, \frac{9}{14}) \Rightarrow \frac{4}{7} < \frac{9}{14}$

$(\frac{5}{12}, \frac{2}{3}) \Rightarrow (\frac{5}{12}, \frac{8}{12}) \Rightarrow \frac{5}{12} < \frac{2}{3}$

$(\frac{3}{4}, \frac{9}{11}) \Rightarrow (\frac{9}{12}, \frac{9}{11}) \Rightarrow \frac{3}{4} < \frac{9}{11}$

$(\frac{8}{9}, \frac{22}{25}) \Rightarrow (\frac{24}{27}, \frac{22}{25}) \Rightarrow \frac{8}{9} > \frac{22}{25}$

$\frac{7}{10} < \frac{4}{5}$ $\quad \frac{4}{7} > \frac{11}{21}$ $\quad \frac{4}{6} < \frac{9}{12}$

$\frac{2}{5} < \frac{6}{11}$ $\quad \frac{5}{7} < \frac{10}{13}$ $\quad \frac{9}{14} > \frac{3}{5}$

$\frac{3}{4} < \frac{10}{13}$ $\quad \frac{10}{14} > \frac{3}{5}$ $\quad \frac{2}{7} > \frac{3}{13}$

$\frac{1}{5} > \frac{2}{15}$ $\quad \frac{3}{6} < \frac{7}{12}$ $\quad \frac{2}{9} < \frac{1}{3}$

$\frac{6}{14} > \frac{2}{5}$ $\quad \frac{6}{8} < \frac{12}{15}$ $\quad \frac{7}{9} > \frac{21}{28}$

$\frac{5}{8} < \frac{14}{20}$ $\quad \frac{7}{16} > \frac{2}{5}$ $\quad \frac{3}{7} < \frac{7}{14}$

54 응용연산 D1 / 3주: 분수의 크기 비교 55

56 • 57 쪽

응용연산

1 이웃한 두 분수의 크기를 비교하여 더 큰 분수를 위쪽의 □ 안에 쓰세요.

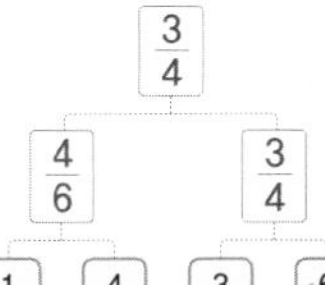

$\frac{3}{4}$
$\frac{4}{6}$, $\frac{3}{4}$
$\frac{1}{3}$, $\frac{4}{6}$, $\frac{3}{4}$, $\frac{6}{9}$

$\frac{10}{15}$
$\frac{3}{5}$, $\frac{10}{15}$
$\frac{3}{5}$, $\frac{5}{9}$, $\frac{5}{8}$, $\frac{10}{15}$

2 세 분수의 크기를 비교하여 □ 안에 알맞은 분수를 쓰세요.

$(\frac{3}{7}, \frac{8}{21}, \frac{10}{14}) \Rightarrow \frac{8}{21} < \frac{3}{7} < \frac{10}{14}$

$(\frac{10}{17}, \frac{15}{28}, \frac{5}{9}) \Rightarrow \frac{15}{28} < \frac{5}{9} < \frac{10}{17}$

$(\frac{11}{15}, \frac{5}{7}, \frac{8}{10}) \Rightarrow \frac{5}{7} < \frac{11}{15} < \frac{8}{10}$

3 1부터 9까지의 수 중 □ 안에 알맞은 수를 모두 쓰세요.

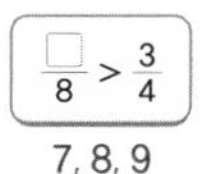

$\frac{□}{8} > \frac{3}{4}$: 7, 8, 9

$\frac{2}{□} < \frac{4}{9}$: 5, 6, 7, 8, 9

$\frac{5}{8} > \frac{□}{7}$: 1, 2, 3, 4

4 조건에 맞는 분수를 쓰고, 크기를 비교하여 ◯ 안에 >, =, <를 알맞게 쓰세요.

- 진분수입니다.
- 분모와 분자의 합은 12, 차는 2입니다.

$\frac{5}{7} < \frac{3}{4}$

- 분모가 분자보다 1 큽니다.
- 분모와 분자의 합이 5보다 크고 9보다 작습니다.

5 크기가 같은 물통 가, 나, 다에 다음과 같이 물이 들어 있습니다. 물이 많이 있는 것부터 차례로 기호를 쓰세요.

가, 다, 나

56 응용연산 D1 / 3주: 분수의 크기 비교 57

58·59쪽

332 분수의 2배와 반

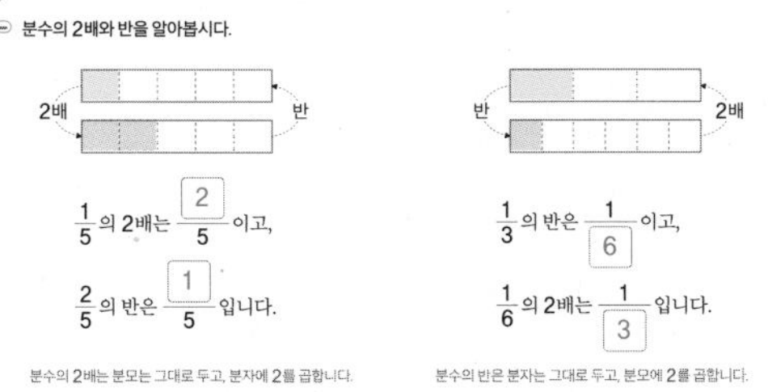

$\frac{1}{3}$의 2배는 $\frac{2}{3}$이고, $\frac{2}{3}$의 반은 $\frac{1}{3}$입니다.

$\frac{3}{5}$의 반은 $\frac{3}{10}$이고, $\frac{3}{10}$의 2배는 $\frac{3}{5}$입니다.

$\frac{2}{9}$의 2배는 $\frac{4}{9}$이고, $\frac{4}{9}$의 반은 $\frac{2}{9}$입니다.

$\frac{5}{7}$의 반은 $\frac{5}{14}$이고, $\frac{5}{14}$의 2배는 $\frac{5}{7}$입니다.

$\frac{2}{5} \xrightarrow{2배} \frac{4}{5}$, $\frac{2}{7} \xrightarrow{2배} \frac{4}{7}$, $\frac{3}{9} \xrightarrow{2배} \frac{6}{9}$

$\frac{1}{10} \xrightarrow{2배} \frac{2}{10}$, $\frac{5}{11} \xrightarrow{2배} \frac{10}{11}$, $\frac{4}{12} \xrightarrow{2배} \frac{8}{12}$

$\frac{3}{5} \xrightarrow{반} \frac{3}{10}$, $\frac{1}{4} \xrightarrow{반} \frac{1}{8}$, $\frac{5}{6} \xrightarrow{반} \frac{5}{12}$

$\frac{5}{9} \xrightarrow{반} \frac{5}{18}$, $\frac{3}{8} \xrightarrow{반} \frac{3}{16}$, $\frac{4}{7} \xrightarrow{반} \frac{4}{14}$

$\frac{1}{6} \xrightarrow{2배} \frac{2}{6} = \frac{1}{3}$, $\frac{3}{8} \xrightarrow{2배} \frac{6}{8} = \frac{3}{4}$

$\frac{2}{5} \xrightarrow{반} \frac{2}{10} = \frac{1}{5}$, $\frac{6}{7} \xrightarrow{반} \frac{6}{14} = \frac{3}{7}$

60·61쪽

응용연산

1 분수의 2배와 반을 쓰세요.

$\frac{3}{7}$: 2배 $\frac{6}{7}$, 반 $\frac{3}{14}$

$\frac{5}{11}$: 2배 $\frac{10}{11}$, 반 $\frac{5}{22}$

$\frac{7}{15}$: 2배 $\frac{14}{15}$, 반 $\frac{7}{30}$

2 바르게 계산하세요.

어떤 분수를 2배 할 것을 잘못하여 반을 하였더니 $\frac{5}{30}$가 되었습니다. 바르게 계산하면 얼마일까요? $\frac{10}{15}$ 또는 $\frac{20}{30}$

어떤 분수를 반으로 할 것을 잘못하여 2배를 하였더니 $\frac{6}{9}$이 되었습니다. 바르게 계산하면 얼마일까요? $\frac{3}{18}$ 또는 $\frac{6}{36}$

3 □ 안에 알맞은 분수를 쓰세요.

$\frac{3}{32} \xrightarrow{2배} \frac{3}{16} \xrightarrow{2배} \frac{3}{8} \xrightarrow{2배} \frac{3}{4} \xrightarrow{2배} \frac{3}{2}$

$\frac{8}{9} \xrightarrow{반} \frac{4}{9} \xrightarrow{반} \frac{2}{9} \xrightarrow{반} \frac{1}{9} \xrightarrow{반} \frac{1}{18}$

4 다음은 넓이가 1인 정사각형을 여러 번 반으로 나눈 것입니다. □ 안에 가, 나, 다, 라의 넓이를 쓰세요.

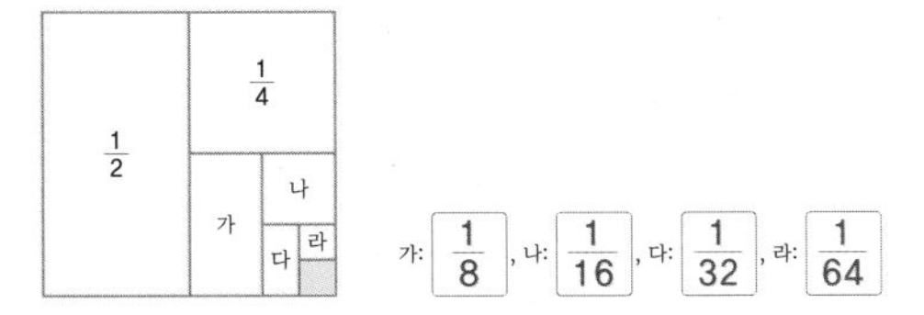

가: $\frac{1}{8}$, 나: $\frac{1}{16}$, 다: $\frac{1}{32}$, 라: $\frac{1}{64}$

5 길이가 $\frac{3}{10}$ m인 리본 2개를 겹치는 부분이 없이 이어 붙였습니다. 이어 붙인 리본의 길이를 구하세요.

$\frac{3}{5}$ m 또는 $\frac{6}{10}$

6 연꽃이 연못 전체 넓이의 $\frac{1}{16}$만큼 채워져 있습니다. 연꽃이 매일 2배씩 불어난다고 할 때, 연꽃은 연못을 며칠째에 가득 채울까요?

5 일

62 • 63쪽

5일 형성평가

1 ○안의 분수와 크기가 같은 분수에 모두 ○표 하세요.

$3\frac{18}{36}$: $3\frac{4}{6}$, ($3\frac{1}{2}$), $3\frac{2}{3}$, $3\frac{6}{18}$, ($3\frac{6}{12}$), $3\frac{8}{14}$

2 $\frac{3}{4}$과 크기가 같은 분수 중 분자와 분모의 합이 42인 분수를 쓰세요.

$\frac{18}{24}$

3 이웃한 두 분수의 크기를 비교하여 더 큰 분수를 위쪽의 □ 안에 쓰세요.

$\frac{10}{11}$

$\frac{10}{11}$, $\frac{7}{8}$

$\frac{5}{6}$, $\frac{10}{11}$, $\frac{7}{8}$, $\frac{1}{2}$

$\frac{5}{7}$, $\frac{5}{6}$, $\frac{9}{11}$, $\frac{10}{11}$, $\frac{7}{8}$, $\frac{6}{7}$, $\frac{1}{2}$, $\frac{2}{5}$

4 왼쪽 분수보다 크고 오른쪽 분수보다 작은 분수에 모두 ○표 하세요.

$\frac{2}{7}$ < [($\frac{2}{5}$), $\frac{2}{3}$, $\frac{2}{10}$, $\frac{2}{9}$, ($\frac{2}{6}$), $\frac{1}{4}$] < $\frac{1}{2}$

$\frac{7}{8}$ < [$\frac{5}{6}$, $\frac{7}{9}$, $\frac{6}{7}$, ($\frac{9}{10}$), ($\frac{8}{9}$), $\frac{7}{11}$] < $\frac{10}{11}$

5 분수의 크기를 비교하여 ○ 안에 < 또는 >를 쓰고 알맞은 말에 ○표 하세요.

$\frac{2}{3}$ (>) $\frac{2}{6}$ (>) $\frac{2}{12}$

분자가 같은 분수는 분모가 ((작을수록), 클수록) 큽니다.

6 수 카드로 만들 수 있는 진분수를 작은 수부터 차례로 모두 쓰세요.

3 4 6

$\frac{3}{6}$, $\frac{4}{6}$, $\frac{3}{4}$

64쪽

7 조건에 맞는 분수를 쓰고, 크기를 비교하여 ○ 안에 >, =, <를 알맞게 쓰세요.

• 진분수입니다.
• 분모와 분자의 합은 17, 차는 3입니다.

$\frac{7}{10}$ (<) $\frac{16}{22}$

• 분모가 분자보다 6 큽니다.
• 분모와 분자의 합이 36보다 크고 40보다 작습니다.

8 주어진 분수의 2배와 반을 쓰세요.

$\frac{3}{9}$ → 2배 $\frac{6}{9}$, 반 $\frac{3}{18}$

$\frac{6}{13}$ → 2배 $\frac{12}{13}$, 반 $\frac{3}{13}=\frac{6}{26}$

$\frac{4}{11}$ → 2배 $\frac{8}{11}$, 반 $\frac{4}{22}=\frac{2}{11}$

9 □ 안에 알맞은 분수를 쓰세요.

$\frac{1}{20}=\frac{2}{40}$ →(2배) $\frac{1}{10}=\frac{2}{20}$ →(2배) $\frac{1}{5}=\frac{2}{10}$ →(2배) $\frac{2}{5}$ →(2배) $\frac{4}{5}$

$\frac{2}{3}=\frac{8}{12}=\frac{4}{6}$ →(반) $\frac{1}{3}=\frac{4}{12}=\frac{2}{6}$ →(반) $\frac{1}{6}=\frac{2}{12}$ →(반) $\frac{1}{12}$ →(반) $\frac{1}{24}$

시간과 분수, 분모가 다른 분수

66·67쪽

1일 333 시간과 분수 (1)

개념원리 분수로 나타낸 시간을 알아봅시다.

- 1시간은 60분입니다.
- 60의 $\frac{1}{3}$은 20 입니다.
- $\frac{1}{3}$시간은 20 분입니다.

60의 $\frac{1}{3}$은 60을 3으로 나눈 몫과 같으므로 $\frac{1}{3}$시간은 60÷3=20(분)입니다.

- 1일은 24시간입니다.
- 24의 $\frac{1}{4}$은 6 입니다.
- $\frac{1}{4}$일은 6 시간입니다.

24의 $\frac{1}{4}$은 24를 4로 나눈 몫과 같으므로 $\frac{1}{4}$일은 24÷4=6(시간)입니다.

- 1분은 60초입니다.
- 60의 $\frac{1}{5}$은 12 입니다.
- $\frac{1}{5}$분은 12 초입니다.

- 1년은 12개월입니다.
- 12의 $\frac{1}{6}$은 2 입니다.
- $\frac{1}{6}$년은 2 개월입니다.

- 1시간은 60분입니다.
- 60의 $\frac{1}{4}$은 15 입니다.
- $\frac{1}{4}$시간은 15 분입니다.

- 1일은 24시간입니다.
- 24의 $\frac{1}{3}$은 8 입니다.
- $\frac{1}{3}$일은 8 시간입니다.

- 1분은 60초입니다.
- 60의 $\frac{1}{6}$은 10 입니다.
- $\frac{1}{6}$분은 10 초입니다.

- 1년은 12개월입니다.
- 12의 $\frac{1}{2}$은 6 입니다.
- $\frac{1}{2}$년은 6 개월입니다.

$\frac{1}{2}$시간= 30 분　$\frac{1}{6}$시간= 10 분　$\frac{1}{20}$시간= 3 분

$\frac{1}{12}$분= 5 초　$\frac{1}{30}$분= 2 초　$\frac{1}{10}$분= 6 초

$\frac{1}{6}$일= 4 시간　$\frac{1}{12}$일= 2 시간　$\frac{1}{8}$일= 3 시간

$\frac{1}{2}$년= 6 개월　$\frac{1}{4}$년= 3 개월　$\frac{1}{3}$년= 4 개월

$\frac{1}{4}$시간=15분　$\frac{1}{3}$분=20초　$\frac{1}{5}$시간=12분

$\frac{1}{6}$일=4시간　$\frac{1}{2}$년=6개월　$\frac{1}{3}$일=8시간

66 응용연산 D1　　4주: 시간과 분수, 분모가 다른 분수 67

68·69쪽

응용연산

1 표의 빈칸에 알맞은 수를 쓰세요.

년	$\frac{1}{2}$	$\frac{1}{3}$	$\frac{1}{4}$	$\frac{1}{6}$
개월	6	4	3	2

일	$\frac{1}{2}$	$\frac{1}{3}$	$\frac{1}{4}$	$\frac{1}{6}$	$\frac{1}{8}$	$\frac{1}{12}$
시간	12	8	6	4	3	2

시간	$\frac{1}{2}$	$\frac{1}{3}$	$\frac{1}{4}$	$\frac{1}{5}$	$\frac{1}{6}$	$\frac{1}{10}$	$\frac{1}{12}$	$\frac{1}{15}$	$\frac{1}{20}$	$\frac{1}{30}$
분	30	20	15	12	10	6	5	4	3	2

2 가장 긴 시간에 ○표, 가장 짧은 시간에 △표 하세요.

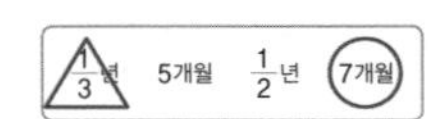

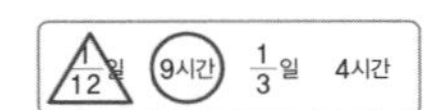

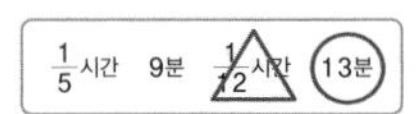

(△ $\frac{1}{20}$분) (○ 11초) $\frac{1}{6}$분 7초

3 다음은 승희의 방학 중 하루 계획입니다. 여가 활동을 하는 시간은 몇 시간일까요?

하루의 $\frac{1}{3}$은 잠을 자고, $\frac{1}{6}$은 공부를 하고, $\frac{1}{8}$은 밥을 먹습니다.
그리고 남은 시간은 여가 활동을 합니다.

9 시간

4 시계의 시침이 한 바퀴 도는 데 걸리는 시간은 12시간입니다. 시침이 $\frac{1}{4}$바퀴를 도는 데 몇 시간이 걸릴까요?

3 시간

5 지금 시각은 6시 정각입니다. 시계의 분침이 $\frac{1}{3}$바퀴 돌면 몇 시 몇 분이 될까요?

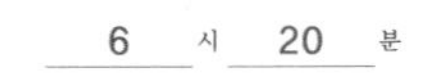

6 시 20 분

6 은수가 할머니 댁에 가는 데 버스로 $\frac{1}{3}$시간, 지하철로 $\frac{1}{5}$시간, 걸어서 5분이 걸립니다. 할머니 댁에 가는 데 모두 몇 분이 걸렸을까요?

37 분

68 응용연산 D1　　4주: 시간과 분수, 분모가 다른 분수 69

70·71쪽

2일 334 **시간과 분수 (2)**

개념원리 분수로 나타낸 시간을 알아봅시다.

- $\frac{1}{3}$ 시간은 20 분입니다.
- $\frac{2}{3}$ 시간은 40 분입니다.

$\frac{2}{3}$는 $\frac{1}{3}$이 2개인 것과 같으므로 $\frac{2}{3}$ 시간은 20+20=40(분)입니다.

- $\frac{1}{4}$ 일은 6 시간입니다.
- $1\frac{1}{4}$ 일은 30 시간입니다.

1일은 24시간이고 $\frac{1}{4}$일은 6시간이므로 $1\frac{1}{4}$일은 24+6=30(시간)입니다.

- $\frac{1}{6}$ 분은 10 초입니다.
- $\frac{5}{6}$ 분은 50 초입니다.
- $\frac{1}{3}$ 년은 4 개월입니다.
- $1\frac{1}{3}$ 년은 16 개월입니다.
- $\frac{1}{5}$ 시간은 12 분입니다.
- $\frac{4}{5}$ 시간은 48 분입니다.
- $\frac{1}{6}$ 일은 4 시간입니다.
- $2\frac{1}{6}$ 일은 52 시간입니다.
- $\frac{1}{4}$ 시간은 15 분입니다.
- $\frac{2}{4}$ 시간은 30 분입니다.
- $\frac{1}{8}$ 일은 3 시간입니다.
- $1\frac{1}{8}$ 일은 27 시간입니다.

$\frac{3}{4}$ 시간 = 45 분	$\frac{7}{10}$ 시간 = 42 분	$\frac{7}{15}$ 시간 = 28 분
$\frac{3}{20}$ 분 = 9 초	$\frac{9}{10}$ 분 = 54 초	$\frac{2}{5}$ 분 = 24 초
$\frac{3}{8}$ 일 = 9 시간	$\frac{7}{12}$ 일 = 14 시간	$\frac{5}{12}$ 시간 = 25 분
$\frac{2}{4}$ 년 = 6 개월	$\frac{5}{6}$ 년 = 10 개월	$\frac{2}{3}$ 년 = 8 개월
$1\frac{1}{30}$ 시간 = 62 분	$1\frac{1}{10}$ 분 = 66 초	$1\frac{4}{5}$ 시간 = 108 분
$1\frac{1}{8}$ 일 = 27 시간	$1\frac{1}{2}$ 년 = 18 개월	$2\frac{7}{12}$ 일 = 62 시간

70 응용연산 D1 4주 : 시간과 분수, 분모가 다른 분수 71

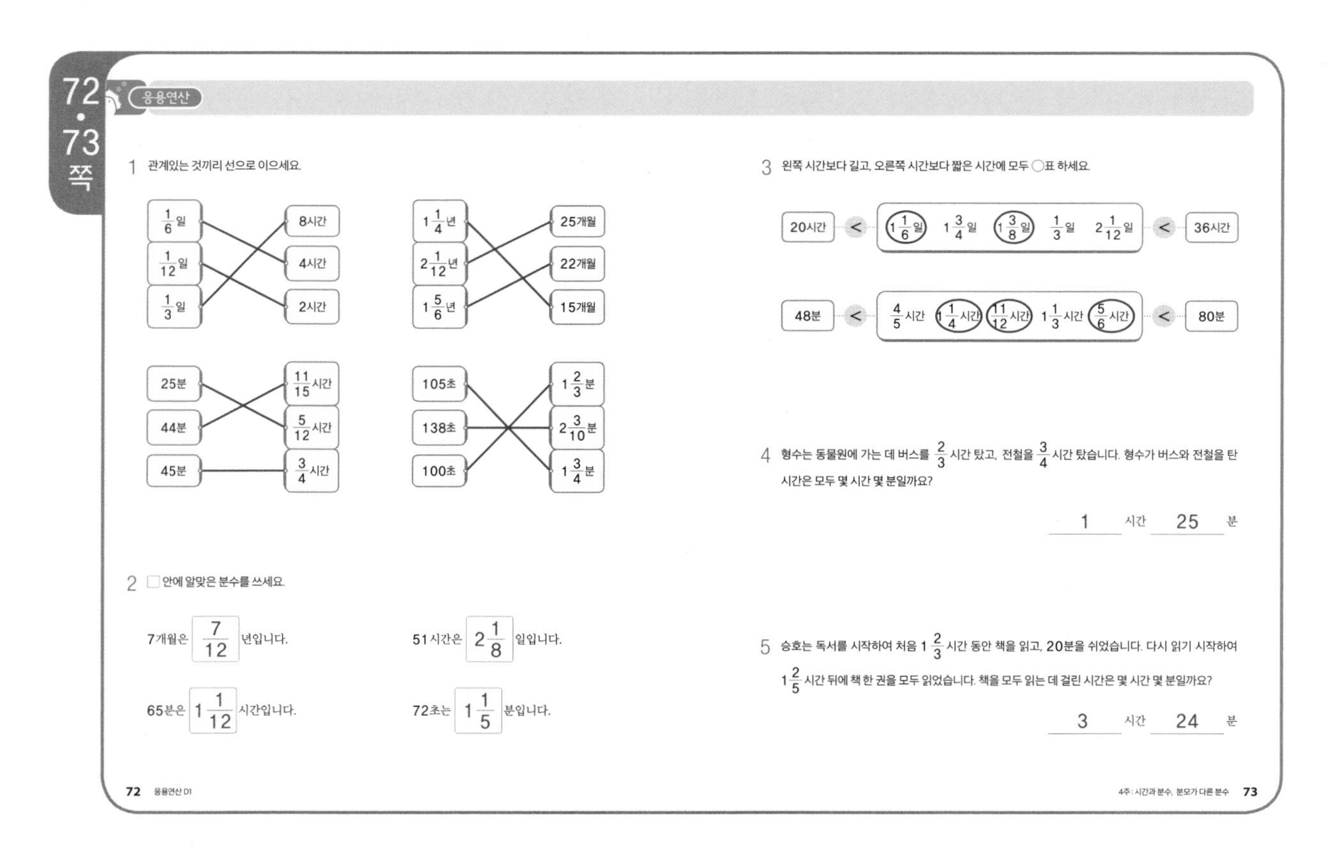

72·73쪽

응용연산

1 관계있는 것끼리 선으로 이으세요.

- $\frac{1}{6}$일 — 4시간
- $\frac{1}{12}$일 — 2시간
- $\frac{1}{3}$일 — 8시간
- $1\frac{1}{4}$년 — 15개월
- $2\frac{1}{12}$년 — 25개월
- $1\frac{5}{6}$년 — 22개월
- 25분 — $\frac{5}{12}$시간
- 44분 — $\frac{11}{15}$시간
- 45분 — $\frac{3}{4}$시간
- 105초 — $1\frac{3}{4}$분
- 138초 — $2\frac{3}{10}$분
- 100초 — $1\frac{2}{3}$분

2 □안에 알맞은 분수를 쓰세요.

- 7개월은 $\frac{7}{12}$ 년입니다.
- 51시간은 $2\frac{1}{8}$ 일입니다.
- 65분은 $1\frac{1}{12}$ 시간입니다.
- 72초는 $1\frac{1}{5}$ 분입니다.

3 왼쪽 시간보다 길고, 오른쪽 시간보다 짧은 시간에 모두 ○표 하세요.

20시간 < (($1\frac{1}{6}$일) $1\frac{3}{4}$일 ($1\frac{3}{8}$일) $\frac{1}{3}$일 $2\frac{1}{12}$일) < 36시간

48분 < ($\frac{4}{5}$시간 ($1\frac{1}{4}$시간) ($\frac{11}{12}$시간) $1\frac{1}{3}$시간 ($\frac{5}{6}$시간)) < 80분

4 형수는 동물원에 가는 데 버스를 $\frac{2}{3}$ 시간 탔고, 전철을 $\frac{3}{4}$ 시간 탔습니다. 형수가 버스와 전철을 탄 시간은 모두 몇 시간 몇 분일까요?

1 시간 25 분

5 승호는 독서를 시작하여 처음 $1\frac{2}{3}$ 시간 동안 책을 읽고, 20분을 쉬었습니다. 다시 읽기 시작하여 $1\frac{2}{5}$ 시간 뒤에 책 한 권을 모두 읽었습니다. 책을 모두 읽는 데 걸린 시간은 몇 시간 몇 분일까요?

3 시간 24 분

72 응용연산 D1 4주 : 시간과 분수, 분모가 다른 분수 73

3일 335

분모가 다른 분수의 덧셈

개념원리 크기가 같은 분수를 이용하여 분모가 다른 분수의 덧셈 방법을 알아봅시다.

$\frac{4}{9}+\frac{2}{3}=\frac{4}{9}+\frac{6}{9}=\frac{10}{9}=1\frac{1}{9}$

$3\frac{1}{2}+1\frac{3}{4}=3\frac{2}{4}+1\frac{3}{4}=4+\frac{5}{4}=5\frac{1}{4}$

크기가 같은 분수를 이용하여 분모를 같게 만든 후 분수의 덧셈을 합니다. $(\frac{4}{9}, \frac{2}{3}) \rightarrow (\frac{4}{9}, \frac{6}{9})$

$\frac{1}{2}+\frac{5}{6}=\frac{3}{6}+\frac{5}{6}=\frac{8}{6}=1\frac{2}{6}$

$\frac{7}{8}+\frac{3}{4}=\frac{7}{8}+\frac{6}{8}=\frac{13}{8}=1\frac{5}{8}$

$1\frac{1}{8}+2\frac{1}{2}=1\frac{1}{8}+2\frac{4}{8}=3+\frac{5}{8}=3\frac{5}{8}$

$2\frac{4}{5}+3\frac{9}{10}=2\frac{8}{10}+3\frac{9}{10}=5+\frac{17}{10}=6\frac{7}{10}$

$\frac{1}{2}+\frac{1}{4}=\frac{3}{4}$ $\quad \frac{1}{12}+\frac{5}{6}=\frac{11}{12}$

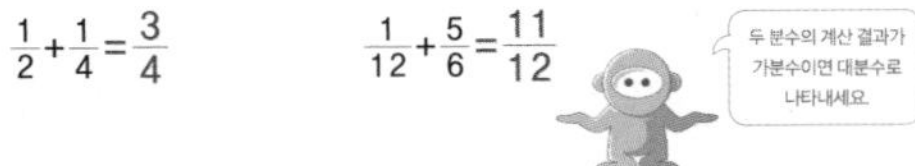

두 분수의 계산 결과가
가분수이면 대분수로
나타내세요.

$\frac{2}{5}+\frac{7}{10}=1\frac{1}{10}$ $\quad \frac{11}{14}+\frac{6}{7}=1\frac{9}{14}$ $\quad \frac{3}{4}+\frac{9}{16}=1\frac{5}{16}$

$3\frac{1}{9}+\frac{1}{3}=3\frac{4}{9}$ $\quad \frac{1}{8}+1\frac{3}{4}=1\frac{7}{8}$ $\quad 2\frac{2}{3}+\frac{1}{6}=2\frac{5}{6}$

$2\frac{11}{15}+\frac{4}{5}=3\frac{8}{15}$ $\quad \frac{5}{12}+4\frac{2}{3}=5\frac{1}{12}$ $\quad 3\frac{17}{21}+\frac{3}{7}=4\frac{5}{21}$

$4\frac{3}{18}+3\frac{2}{9}=7\frac{7}{18}$ $\quad 2\frac{11}{24}+2\frac{3}{6}=4\frac{23}{24}$ $\quad 1\frac{3}{15}+4\frac{2}{3}=5\frac{13}{15}$

$2\frac{13}{22}+1\frac{9}{11}=4\frac{9}{22}$ $\quad 3\frac{5}{6}+3\frac{7}{12}=7\frac{5}{12}$ $\quad 2\frac{7}{8}+4\frac{13}{16}=7\frac{11}{16}$

응용연산

1 가로, 세로로 두 수의 합에 맞게 상자 안의 수를 빈칸에 쓰세요.

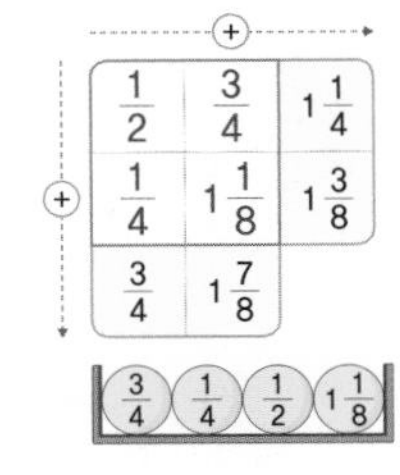

$\frac{1}{2}$ $\frac{3}{4}$ $1\frac{1}{4}$
$\frac{1}{4}$ $1\frac{1}{8}$ $1\frac{3}{8}$
$\frac{3}{4}$ $1\frac{7}{8}$
$\frac{3}{4}$ $\frac{1}{4}$ $\frac{1}{2}$ $1\frac{1}{8}$

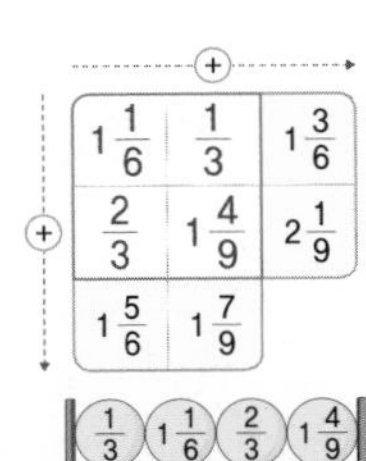

$1\frac{1}{6}$ $\frac{1}{3}$ $1\frac{3}{6}$
$\frac{2}{3}$ $1\frac{4}{9}$ $2\frac{1}{9}$
$1\frac{5}{6}$ $1\frac{7}{9}$
$\frac{1}{3}$ $1\frac{1}{6}$ $\frac{2}{3}$ $1\frac{4}{9}$

2 다음 중 두 수를 사용하여 식을 만들고 계산하세요.

$\frac{9}{10}$ $\quad 1\frac{1}{10}$ $\quad \frac{3}{5}$ $\quad 3\frac{1}{2}$

합이 가장 큰 식: 식 $3\frac{1}{2}+1\frac{1}{10}=4\frac{6}{10}$ 답 $4\frac{6}{10}$

합이 가장 작은 식: 식 $\frac{9}{10}+\frac{3}{5}=1\frac{5}{10}$ 답 $1\frac{5}{10}$

더하는 두 수는 바뀌어도 정답입니다.

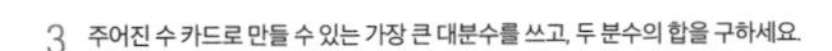

3 주어진 수 카드로 만들 수 있는 가장 큰 대분수를 쓰고, 두 분수의 합을 구하세요.

가장 큰 대분수: $9\frac{5}{8}$

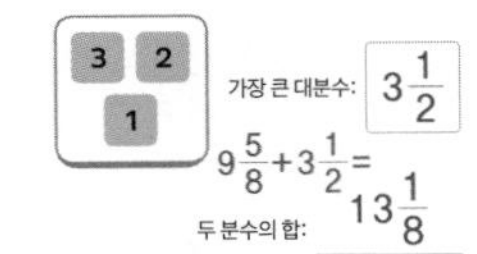

가장 큰 대분수: $3\frac{1}{2}$

두 분수의 합: $9\frac{5}{8}+3\frac{1}{2}=13\frac{1}{8}$

가장 큰 대분수: $7\frac{5}{6}$

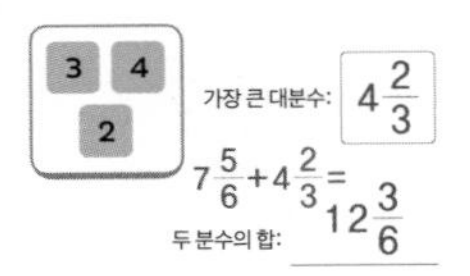

가장 큰 대분수: $4\frac{2}{3}$

두 분수의 합: $7\frac{5}{6}+4\frac{2}{3}=12\frac{3}{6}$

4 케이크를 두 조각으로 나누었습니다. 한 조각의 무게는 $1\frac{14}{25}$ kg이고, 다른 한 조각은 $1\frac{3}{5}$ kg입니다. 처음 케이크의 무게는 몇 kg일까요?

식 $1\frac{14}{25}+1\frac{3}{5}=3\frac{4}{25}$ 답 $3\frac{4}{25}$ kg

5 $5\frac{4}{7}$ kg의 사과가 들어 있는 바구니에 $3\frac{15}{28}$ kg의 사과를 더 넣었습니다. 바구니에 담긴 사과는 모두 몇 kg일까요?

식 $5\frac{4}{7}+3\frac{15}{28}=9\frac{3}{28}$ 답 $9\frac{3}{28}$ kg

78·79쪽

4일 336 분모가 다른 분수의 뺄셈

개념 원리: 크기가 같은 분수를 이용하여 분모가 다른 분수의 뺄셈 방법을 알아봅시다.

$\frac{4}{5}-\frac{3}{10}=\frac{8}{10}-\frac{3}{10}=\frac{5}{10}$

$5\frac{1}{3}-2\frac{5}{6}=5\frac{2}{6}-2\frac{5}{6}=4\frac{8}{6}-2\frac{5}{6}=2\frac{3}{6}$

크기가 같은 분수를 이용하여 분모를 같게 만든 후 분수의 뺄셈을 합니다. $(\frac{4}{5},\frac{3}{10})\rightarrow(\frac{8}{10},\frac{3}{10})$

$\frac{9}{14}-\frac{2}{7}=\frac{9}{14}-\frac{4}{14}=\frac{5}{14}$

$\frac{2}{3}-\frac{2}{9}=\frac{6}{9}-\frac{2}{9}=\frac{4}{9}$

$4\frac{1}{2}-1\frac{5}{8}=4\frac{4}{8}-1\frac{5}{8}=3\frac{12}{8}-1\frac{5}{8}=2\frac{7}{8}$

$6\frac{5}{12}-2\frac{5}{6}=6\frac{5}{12}-2\frac{10}{12}=5\frac{17}{12}-2\frac{10}{12}=3\frac{7}{12}$

$\frac{2}{3}-\frac{1}{12}=\frac{7}{12}$ $\frac{19}{20}-\frac{2}{5}=\frac{11}{20}$ $\frac{4}{21}-\frac{1}{7}=\frac{1}{21}$

$\frac{3}{4}-\frac{1}{2}=\frac{1}{4}$ $\frac{3}{5}-\frac{2}{15}=\frac{7}{15}$ $\frac{4}{9}-\frac{1}{3}=\frac{1}{9}$

$2\frac{9}{22}-\frac{3}{11}=2\frac{3}{22}$ $4\frac{4}{7}-\frac{3}{14}=4\frac{5}{14}$ $5\frac{3}{4}-\frac{7}{16}=5\frac{5}{16}$

$3\frac{4}{9}-\frac{19}{27}=2\frac{20}{27}$ $5\frac{11}{20}-1\frac{9}{10}=3\frac{13}{20}$ $2\frac{3}{8}-\frac{9}{16}=1\frac{13}{16}$

$11\frac{6}{7}-7\frac{23}{28}=4\frac{1}{28}$ $5\frac{17}{19}-3\frac{3}{38}=2\frac{31}{38}$ $9\frac{15}{32}-2\frac{3}{8}=7\frac{3}{32}$

$9\frac{1}{2}-4\frac{3}{4}=4\frac{3}{4}$ $8\frac{13}{27}-1\frac{2}{3}=6\frac{22}{27}$ $3\frac{1}{2}-1\frac{19}{20}=1\frac{11}{20}$

80·81쪽

응용연산

1 관계있는 것끼리 선으로 이으세요.

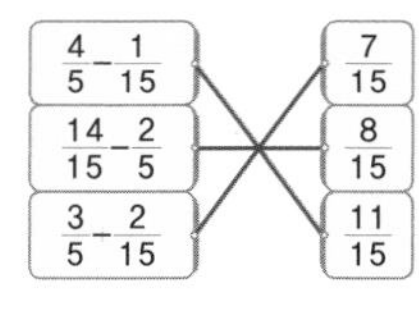

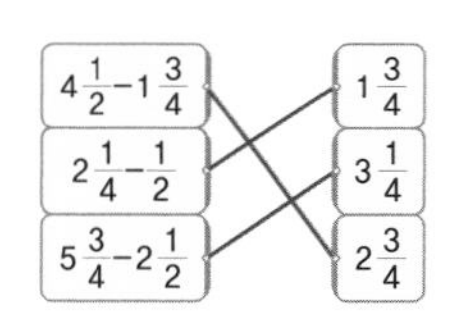

2 상자 안의 수를 한 번씩 모두 사용하여 분수의 뺄셈식을 완성하세요.

(1, 3, 6) $6\frac{1}{5}-\frac{3}{10}=5\frac{9}{10}$

(4, 7, 1) $4\frac{7}{9}-\frac{1}{3}=4\frac{4}{9}$

(2, 3, 5) $7\frac{5}{12}-3\frac{2}{6}=4\frac{1}{12}$

(3, 1, 2) $5\frac{1}{8}-2\frac{3}{4}=2\frac{3}{8}$

3 수 카드 3장을 모두 사용하여 만들 수 있는 가장 큰 대분수와 가장 작은 대분수를 쓰고, 두 분수의 차를 구하세요.

3 4 8 — 가장 큰 대분수: $8\frac{3}{4}$, 가장 작은 대분수: $3\frac{4}{8}$, 두 분수의 차: $8\frac{3}{4}-3\frac{4}{8}=5\frac{2}{8}$

3 9 2 — 가장 큰 대분수: $9\frac{2}{3}$, 가장 작은 대분수: $2\frac{3}{9}$, 두 분수의 차: $9\frac{2}{3}-2\frac{3}{9}=7\frac{3}{9}$

4 어떤 수에서 $\frac{3}{4}$을 빼야 할 것을 잘못하여 더했더니 $3\frac{3}{8}$이 되었습니다. 바르게 계산하면 얼마일까요?

잘못된 식: 식 $\square+\frac{3}{4}=3\frac{3}{8}$ 어떤 수: $2\frac{5}{8}$

$\square=3\frac{3}{8}-\frac{3}{4}=2\frac{5}{8}$

바르게 계산하기: 식 $2\frac{5}{8}-\frac{3}{4}=1\frac{7}{8}$ 답 $1\frac{7}{8}$

5 지혜가 찌개를 끓이는데 설탕은 $3\frac{3}{4}$ g, 소금은 $2\frac{15}{16}$ g을 사용했습니다. 설탕과 소금 중 어떤 것을 얼마나 더 사용했는지 구하세요.

설탕, $\frac{13}{16}$ g

82·83쪽 5일 형성평가

1 가장 긴 시간에 ○표, 가장 짧은 시간에 △표 하세요.

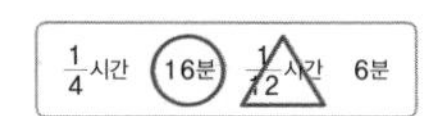

$\frac{1}{4}$시간, (16분), △$\frac{1}{12}$시간, 6분

△$\frac{1}{12}$년, 3개월, $\frac{1}{6}$년, (4개월)

2 형준이의 방학 중 하루 계획입니다. 여가 활동을 하는 시간은 몇 시간일까요?

하루의 $\frac{1}{4}$은 잠을 자고, $\frac{1}{3}$은 공부를 하고, $\frac{1}{12}$은 밥을 먹습니다. 그리고 남은 시간은 여가 활동을 합니다.

8 시간

3 □ 안에 알맞은 분수를 쓰세요.

30시간은 $1\frac{1}{4}$ 일입니다. 132분은 $2\frac{1}{5}$ 시간입니다.

23개월은 $1\frac{11}{12}$ 년입니다. 90초는 $1\frac{1}{2}$ 분입니다.

4 왼쪽 시간보다 길고, 오른쪽 시간보다 짧은 시간에 모두 ○표 하세요.

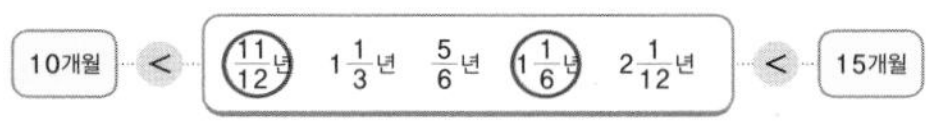

10개월 < ($\frac{11}{12}$년), $1\frac{1}{3}$년, $\frac{5}{6}$년, ($1\frac{1}{6}$년), $2\frac{1}{12}$년 < 15개월

64초 < $\frac{11}{12}$분, ($1\frac{1}{12}$분), $2\frac{1}{20}$분, $2\frac{1}{30}$분, ($1\frac{1}{4}$분) < 122초

5 가로, 세로로 두 수의 합에 맞게 상자 안의 수를 빈칸에 쓰세요.

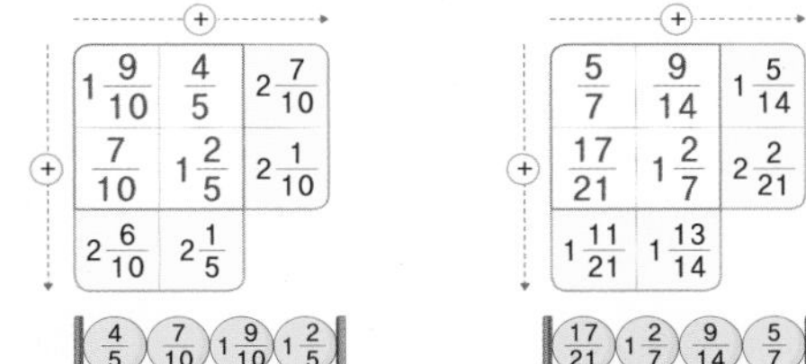

$1\frac{9}{10}$	$\frac{4}{5}$	$2\frac{7}{10}$
$\frac{7}{10}$	$1\frac{2}{5}$	$2\frac{1}{10}$
$2\frac{6}{10}$	$2\frac{1}{5}$	

상자: $\frac{4}{5}$, $\frac{7}{10}$, $1\frac{9}{10}$, $1\frac{2}{5}$

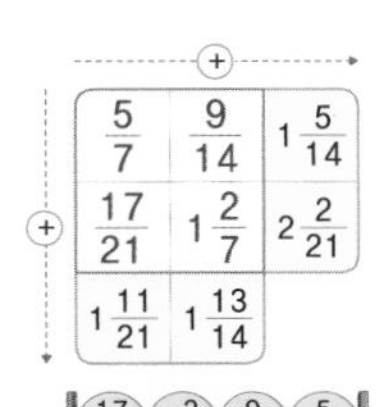

$\frac{5}{7}$	$\frac{9}{14}$	$1\frac{5}{14}$
$\frac{17}{21}$	$1\frac{2}{7}$	$2\frac{2}{21}$
$1\frac{11}{21}$	$1\frac{13}{14}$	

상자: $\frac{17}{21}$, $1\frac{2}{7}$, $\frac{9}{14}$, $\frac{5}{7}$

84쪽

6 주어진 수 카드로 만들 수 있는 가장 큰 대분수를 쓰고, 두 분수의 합을 구하세요.

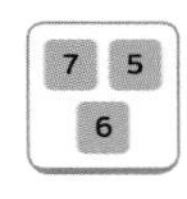

7, 5, 6 — 가장 큰 대분수: $7\frac{5}{6}$

4, 3, 1 — 가장 큰 대분수: $4\frac{1}{3}$

두 분수의 합: $7\frac{5}{6}+4\frac{1}{3}=12\frac{1}{6}$

7 관계있는 것끼리 선으로 이으세요.

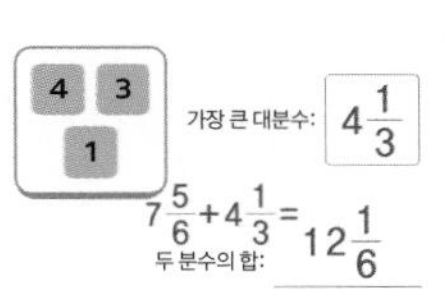

$\frac{9}{14}-\frac{2}{7}$ — $\frac{5}{14}$

$\frac{6}{7}-\frac{3}{14}$ — $\frac{9}{14}$

$\frac{13}{14}-\frac{5}{7}$ — $\frac{3}{14}$

$4\frac{1}{5}-1\frac{7}{15}$ — $2\frac{11}{15}$

$3\frac{4}{15}-\frac{4}{5}$ — $2\frac{7}{15}$

$3\frac{14}{15}-1\frac{2}{5}$ — $2\frac{8}{15}$

8 어떤 수에서 $\frac{8}{9}$을 빼야 할 것을 잘못하여 더했더니 $5\frac{2}{3}$가 되었습니다. 바르게 계산하면 얼마일까요?

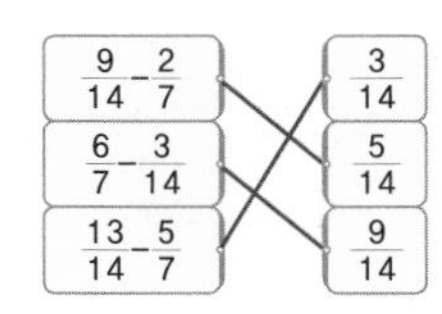

잘못된 식: 식 $\square+\frac{8}{9}=5\frac{2}{3}$ 어떤 수: $4\frac{7}{9}$

$\square=5\frac{2}{3}-\frac{8}{9}=4\frac{7}{9}$

바르게 계산하기: 식 $4\frac{7}{9}-\frac{8}{9}=3\frac{8}{9}$ 답 $3\frac{8}{9}$

Memo

Memo

“

Numbers rule the universe.

”

"수가 우주를 지배한다"

Pythagoras, 피타고라스